U0115811

學術論文集叢書

第四屆《群書治要》 國際學術研討會論文集

《群書治要》與老莊思想

廖育正、陳康寧　主編

主辦單位：國立成功大學中國文學系
合辦單位：香港中文大學中國語言及文學系、
　　　　　財團法人臺南市至善教育基金會

本書每篇論文均通過雙匿名學術審查

目次

貞觀視野下的《文子》

——《群書治要‧文子》的接受與應用詮釋

林朝成

國立成功大學中國文學系教授

摘要

　　《群書治要》編撰宗旨為「務乎政術」，乃一部政治思想精華選錄。本文從《群書治要‧文子》和傳世本《文子》的對比，還原選編者的編輯意圖和選編後的文本重構。然《文子》的文本幾經編整，襲用了80%《淮南子》文句、觀念。因此，本文從「文體」和「剪截」手法，確定魏徵等人所採用的文本面貌，並就《文子》和《淮南子》的襲用問題加以判定，以釐清魏徵所用文本互文的狀態，作為文本對比的背景和學術的共同論域。

　　本文將《文子》12篇和《群書治要‧文子》逐篇對比，並提出《群書治要‧文子》的三組義理架構：

（一）仁義如何作為治國的路徑和根本原則的「仁義與公法」的論題。
（二）因循無為如何運作，方可利國利民的「因循事變，利民為本」的論題。
（三）君臣異道的統治形態如何作為君臣分位職權的準則，由此展開有效治理的「職分倫理的定位與分限」的論題。

經由這三個論題的分析，筆者發現《群書治要‧文子》扣合著《貞觀政要》的政治理念，提供政治參資論辯的經典理據，而《文子》也從黃老思想典籍的行列，走進《群書治要‧文子》以儒家政治理想為主軸，融會了道家、《墨子》的思想傳統中。

關鍵詞：《群書治要》、《文子》、黃老、道家、仁義

Wenzi under the Perspective of Zhenguan Era: The Reception and Applied Interpretation of *Wenzi* of *Qunshu Zhiyao*

Lin, Chao-Cheng

Professor, Department of Chinese Literature,
National Cheng Kung University

Abstract

The compilation objective of *Qunshu zhiyao* centers on political strategies, serving as an essential selection of political thoughts. This paper makes a comparison between *Wenzi* of *Qunshu Zhiyao* and the transmitted version of *Wenzi* with the attempt to restore the editor's intentions and the textual reconstruction after selection and compilation. As *Wenzi* underwent several editorial revisions, duplicating 80% of the text and concepts of *Huainanzi*, this paper examines the literary style and editing techniques of Wei Zheng and others to identify the text adopted by them. Additionally, this paper evaluates the problem of appropriation between *Wenzi* and *Huainanzi* and clarifies the intertextual relationship in Wei Zheng's selection of text. This subsequently provides a background for textual comparison and academic discourse. This paper compares the 12 chapters of *Wenzi* with *Wenzi* of *Qunshu zhiyao* and proposed three thematic frameworks within the latter:

1. The subject of "Renyi (benevolence and justice) and Public Law" explores how renyi serves as the pathway and fundamental principles of governance.
2. The subject of "Adapting to the Changing Circumstances for the Benefit of the People" examines how inaction, when properly employed, can benefit the nation and its people.
3. The subject of "Positioning and Boundaries of Duty and Ethics" revolves around how the governing structure of the distinct paths for the sovereign and ministers acts as the criterion for dividing their roles.

Through the analysis of the three subjects, the author discovered that *Wenzi* of *Qunshu zhiyao* aligns with the political ideology of *Zhenguan zhengyao*. It provides classical references for political discourses and debates. *Wenzi*, therefore, transitions from the ranks of Huang-Lao philosophical texts to becoming part of *Qunshu zhiyao*, which focuses primarily on Confucian political ideals and incorporates ideas from Daoism and the *Mozi* tradition.

Keywords: *Qunshu zhiyao*, *Wenzi*, Huang-Lao, Daoism, renyi

一　前言

　　《群書治要》成書於貞觀5年（西元631年），為魏徵（西元580-643年）、虞世南（西元558-638年）、褚亮（西元560-647年）和蕭德言（西元558-654年）奉唐太宗（西元598-649年）之命所編撰的政治文化典籍。其編撰宗旨，乃就傳統群書中，選錄要籍，裁編文句，呈現各家思想，以作為治國理政的方略。太宗期盼經由典籍的編纂，能吸收傳統政治思想的精華，培養施政的政治文化資本，作為政策可以落實的要領和操作的原則。因此，《群書治要》的編撰體例和設定宗旨，是以「務乎政術」為著眼點，既以政治的治理為導向，所編選的群書自然偏重在政治論域。

　　50卷的《群書治要》共節錄了從五帝到晉代的68部典籍，卷1至卷10收入「經部」12部著作；卷11至卷30收入「史部」8部著作；卷31至卷50收入「子部」48部著作。這之中的48部子部典籍，依據《隋書‧經籍志》的分類，屬儒家者17部，屬道家者6部，屬墨家者1部，屬法家者8部，屬名家者1部，屬雜家者9部，屬兵家者6部。

　　道家6部分別為《老子》、《鶡冠子》、《列子》、《文子》、《莊子》、《抱朴子》。依其節選入《群書治要》的文本來分析，《老子》的底本為《河上公章句》。《老子》原文81章，共5,235字，魏徵等人經過翦裁後，選錄了其中的49章，包含本文2,068字、注文4,886字，本文節選的字數約占四成，在道家類典籍中占比最高；至於河上公的注文，則幾乎全部選錄，不作更動翦裁，以呈顯原意。因此，選入《群書治要》的《老子》文本，是河上公視野下的《老子》，為黃老的文本。[1]《鶡冠子》今本3卷19篇，約一萬八千字，《群書治要》自〈博選〉、〈著希〉、〈世賢〉三篇中節選了三段文字，論述治理國家、選任賢才的策略，約選錄六千字，占比3%強。《列子》今本有8篇，共約三萬字，魏徵等人從〈天瑞〉、〈湯問〉、〈立命〉、〈說符〉4篇中，節選了6段文字、約一千字入《群書治要》。《文子》今本全文12篇，約40,000字，《群書治要》中12篇皆入選，節選了約八千字，字數占比近二成。《莊子》現存33篇，共約八萬餘字，所節選的篇章只有〈胠篋〉、〈天地〉、〈天道〉、〈知北遊〉、〈徐無鬼〉等5篇，大約編入兩千字，字數占比百分之2.5，且所選內容皆是外、雜篇中與黃老治術相關者。《抱朴子》今有內篇20篇、外篇50篇，魏徵等人從外篇中摘選〈酒誥〉、〈疾謬〉、〈刺驕〉、〈博喻〉、〈廣天〉6篇的部分段落，選入《群書治要》的字數約2,500百字。

　　這六部典籍中，除《鶡冠子》、《抱朴子》所選的文本和黃老學無直接相關外，其他四部皆在魏徵等人的編選觀點下，呈現黃老治術的思想，各自呈現黃老的要旨與衍生的

1　《群書治要‧老子》為黃老風貌的《老子》，其對貞觀君臣的政治觀有很大的影響。詳見林朝成：〈治身與治國：《群書治要‧老子》文本的形成與應用詮釋〉，《第三屆《群書治要》學術研討會論文集》（臺北：萬卷樓圖書公司，2023）。

風貌。本文選定《群書治要‧文子》為研究題材，擬探討《文子》思想的詮釋和定位問題。在魏徵等人政術視角下，《文子》的重要性遠超過《列子》和《莊子》，可說是僅次於《老子》的重要道家著作。經由魏徵等人選編的《文子》文本，可視為《文子》的新版本，這新版本的《文子》聚焦描繪出哪些面向的治術思想？這些治術思想又如何為貞觀君臣所用並形成和貞觀君臣對話的主軸？

本人透過研究發現，在吳兢（西元670-749年）記述貞觀典範的《貞觀政要》中，貞觀君臣在表達治國理政的想法時，所引據的典籍文本和觀念，以極高比例互見於《群書治要》中。[2] 也就是說，《群書治要》所錄傳統典籍中敘述的的政治思想和歷史事件，常為貞觀君臣取法，作為朝廷論辯、對話和勸諫的題材，《貞觀政要》進一步對《群書治要》進行了應用詮釋，這種關係形構了貞觀朝為政的共同論域，是貞觀君臣治國理政所共享的文化資本。而將《群書治要‧文子》放在這個脈絡中，可以重新認識《文子》在貞觀朝被接受和詮釋的面貌，這個面貌從文本分析來看，就是融合道家（黃老）而歸於儒家的有機體。我們需要從《群書治要‧文子》文本的構成和詮解，以及《貞觀政要》共同論域的對話實踐中，理出一個可能的線索和詮釋的視野。

二　《群書治要‧文子》對《文子》的翦截與重構

《文子》如何經編選成為《群書治要‧文子》的文本？這需要比對二個文本以進行分析，依魏徵等人的編選策略、方法與實際操作，以還原《群書治要‧文子》的形塑過程。魏徵〈《群書治要》序〉言明編輯《群書治要》的操作方法：

> 故爰命臣等，採摭群書，翦截淫放，光昭訓典。聖思所存，務乎政術；綴敘大略，咸發神衷；雅致鈎深，規摹宏遠，網羅治體，事非一日。[3]

「翦截淫放」是魏徵等人的編選手法，「淫」指過度修辭，敘述紛雜枝蔓；「放」是偏離主題，與政術無關；「翦」是刪除，指將整章或整卷刪除；「截」是截斷，整章或整段中只取關鍵的文句。因此，「翦截淫放」便是將過度華麗或枝蔓的文字裁去，刪除整卷、整章與政術無關的內容，只截取整章中關鍵的文字，以使文意簡潔，留存達意的敘述。「網羅治體」乃力求全面地蒐集古人治國的綱領和原則；「事非一目」則指治體下的子目不侷限在某一方面，而是將能展開治術的面向都加以囊括，主題式的呈現各家思想，

2　林朝成：〈《群書治要》與貞觀之治：從君臣互動談起〉，《成大中文學報》第67期（2019年12月），頁101-142。

3　唐‧魏徵等編撰，蕭祥劍點校：《群書治要（校訂本）》（北京：團結出版社，2015年），卷前序，頁6。本書乃以天明本《群書治要》為底本，依「金澤文庫」本改正、校註。以下引用本書，逕於文後標明頁碼，不另外加註。

力求典籍中的內容和思想可以被理解與應用。

就翦截之後所呈現的文本，魏徵也立下編選的風格：

> 但《皇覽》、《遍略》，隨方類聚，名目互顯，首尾淆亂，文義斷絕，尋究為難。
> 今之所撰，異乎先作，總立新名，各全舊體，欲令見本知末，原始要終，並棄彼
> 春華，采茲秋實。（〈序〉，頁7）

《群書治要》不是要編輯方便查驗的類書、工具書，而是編選有關政術的群書，有著政
治取用的明顯企圖，一方面「文義」的呈現要完整，本末相貫，不損及原書的意旨，刪
除無關緊要的內容，輯錄下經世治國的論理果實。另一方面，要保持原書的體例，使問
答體經過編裁，仍保留問答體；論說體仍是論說體；詩體仍是詩體，不因編裁改變文體
的面貌。依此序文，編選的核心方法就是：（一）翦裁淫放（二）網羅治體（三）事非
一目（四）文義連貫（五）各全舊體，筆者依此方法，以傳世本《文子》比對《群書治
要・文子》編選出的文本，[4] 得到如下的初步結果。

從各全舊體的角度觀察，《群書治要》所根據的《文子》底本，並無冠上「老子
曰」的體例，以〈上義〉篇為例，首章「凡學者能明於天人之分，……言不合於先王
者，不可以為道」（〈上義〉，頁867-868），但傳世本卻冠上「老子曰」開頭。又以〈道
德〉篇為例，首章：「文子問道。老子曰：『夫道者，小行之小得福，大行之大得福，盡
行之天下福。』」傳世本《文子》本章共約600字，《群書治要・文子》只截選28字，但
仍保留文子問、老子答的問答體體例。因此，魏徵等人的編選原則並不會把「老子曰」
故意去除，凡非問答體而加進「老子曰」者，可以判定為後於《群書治要》的著作。

《群書治要・文子》共57章，有3章以「文子問……老子曰」的格式行文，其他54
章皆未冠以「老子曰」。傳世本《文子》12卷，共188章，其中有16章問答體、172章論
說體，這172章傳世本皆冠上「老子曰」，這便改變了《文子》一書的定位。傳世本的
《文子》體例為注疏本的體例，依此體例，《文子》被認為是《老子》的古註或義疏，
以提高《文子》的地位。然就魏徵等人所見的《文子》應是論說體，為老子後學的論
著，屬論書的文體。

《群書治要・文子》皆可在傳世本《文子》，找到對應的文句，唯有〈道德〉篇第3
章被移到傳世本〈精誠〉篇第15章，〈道德〉篇第4章被移到〈符言〉篇第31章。可見魏
徵等人所見的《文子》已是定本，傳世本《文子》只是安上「老子曰」，在章節之間稍
有重編而已。

---

4 本文用以比對的《文子》，為李定生、徐慧君校釋的《文子校釋》。本書根據《正統道藏》所錄徐靈
　府《通玄真經注》12卷為底本，據續義本、道藏7卷本、輯要本、《群書治要・文子》進行校釋。見
　李定生、徐慧君：《文子校釋》（上海：上海古籍出版社，2004年）。

　　經由比勘，發現傳世本《文子》和《淮南子》的文字內容多所重複，根據學者統計，傳世本《文子》計39,231字，其中30,800多字見於《淮南子》。[5]《文子》不見於《淮南子》者的內容僅八千餘字，重複率近80%。《文子》有一度被認定為偽書，學者判斷《文子》非偽書，得力於1973年定縣漢墓出土的竹簡。1995年定州漢簡整理小組發表整理成果在《文物》期刊，[6]竹簡《文子》總數277枚、2,790字，可辨識其中屬〈道德〉篇的竹簡有87枚、一千餘字，少量竹簡文字與傳世本《文子》中〈道原〉、〈精誠〉、〈微明〉、〈自然〉等篇內容相似。竹簡本《文子》發掘於西漢中山懷王劉修（？-西元前3年）的墓中，劉修卒於漢宣帝五鳳三年（西元前3年），所以可以判斷其中年限最晚為西元前3年。由此說來，《文子》並非偽書，李定生判定《文子》是西漢時已有的先秦古籍，它先於《淮南子》，[7]可作為研究文子思想的主要資料。王利器（1912-1998）更認為《淮南子》為《文子》的疏義，鉅細靡遺地引用《淮南子》作為疏義的根據。[8]

　　持反對意見的學者認為竹簡《文子》或可斷定為戰國至漢初的時期，時代早於《淮南子》，但其字數不到三千字，傳世本《文子》近四萬字，乃不斷演變增益的過程，其重出於《淮南子》者，乃抄襲自《淮南子》。葛剛岩整理各種說法，提出傳世本《文子》的形成與流變的合理推測。[9]原本《文子》為黃老學著作，漢武帝劉徹（西元前156-前87年）獨尊儒術後，《文子》遭受冷落，造成殘損。在東漢末年至魏晉之際，第一次整理《文子》，將殘簡或殘破帛書中較為完整的文句，按內容的不同歸類，構成傳世本《文子‧道德》中的第1、3、5、7、9、11、13、15、20章等9部分。另一方面，在內容上，整理者襲用添加了《老子》、《莊子》、《淮南子》等古籍文獻，以銜接殘缺不全的句子，《文子》一書殘損嚴重，既使有了第一次整理，該書篇幅仍然有限。在張湛（？-？，東晉時人）之時或張湛之前，進行第二次整理，不惜抄襲運用《淮南子》原文，以充原卷，這就是《淮南子》占了《文子》全書內容近五分之四的原因。

　　第二次整理後，《文子》已是定本的原型，從《群書治要》的體例來判斷，《群書治

5　參見張豐乾：《出土文獻與文子公案》（北京：社會科學文獻出版社，2007年），頁52；葛剛岩：〈《文子》成書及其思想〉（成都：巴蜀書社，2005年），頁132。學者多注意到這個現象，只是有《淮南子》是《文子》之疏義和《文子》抄襲《淮南子》兩種判斷之不同。

6　河北省文物研究所定州漢簡整理小組：〈定州西漢中山懷王墓竹簡《文子》釋文〉，《文物》1995年第12期（1995年12月），頁1、27-34。

7　李定生、徐慧君：《文子校釋》，頁14。該書引用《淮南子》作為《文子校釋》的材料，詳密地近行校釋引證。

8　王利器：《文子疏義》（北京：中華書局，2009年）。潘銘基另指出，王利器用《群書治要》校勘《文子》，所用的《群書治要》屬金澤文庫本，未及時代更早之古本。見潘銘基：〈《群書治要》所載《文子》異文研究──兼補王利器《文子疏義》以《群書治要》校勘《文子》例〉，《興大中文學報》第44期（2018年12月）。

9　葛剛岩：《《文子》成書及其思想》，頁131-177。

要》所依據的底本應是第二次整理後的本子。[10]之後，「老子曰」大量出現在現存的《文子》，卷數也重編為12卷。唐朝天寶初年，傳世本《文子》抄本頗多，後由官方組織人力，對包括傳世本《文子》在內的道經進行校定，校定後《文子》便有比較完善的定本，這也就是現今保存在《道藏》的傳世本。

葛岩剛的推論讓《文子》形成和流傳的過程有了較為清晰的面貌。那麼，我們作為比對的傳世本《文子》，極可能是成立於唐玄宗李隆基（西元685-762年）時，也就是玄宗在位時期。當時玄宗敕封《文子》為《通玄真經》，與《老子》（《道德真經》）、《莊子》（《南華真經》）、《列子》（《沖虛真經》）並稱「四玄」，置「崇玄學」，並定為取士之本，每年準明經例考試，準明經例舉送。這時《文子》備受官方的尊崇。

《文子》和《淮南子》有八成左右互文的現象，《群書治要·文子》和《群書治要·淮南子》亦有重複出現的文句，《淮南子》21篇、約13,800字，魏徵等節選11篇的章節、約7,700字，選比約5.5%，在不算高的選比中，重出的段落至少有5處：

表一　《群書治要·文子》、《群書治要·淮南子》重出表

編號	《群書治要·文子》	《群書治要·淮南子》
1	日月欲明，浮雲蓋之；河水欲清，沙土穢之；叢蘭欲修，秋風敗之；人性欲平，嗜欲害之。蒙塵而欲無眯，不可得也。（〈上德〉，頁854）	日月欲明，浮雲蓋之；河水欲清，沙石穢之；人性欲平，嗜欲害之。夫縱欲而失性，動未嘗正也，以治身則失，以治國則敗。（〈齊俗〉，頁1050）
2	以道治天下，非易民性也，因其有而條暢之。故瀆水者因水之流，產稼者因地之宜，征伐者因民之欲，能因即無敵於天下矣。故先王之制法，因民之性，而為之節文；無其性，無其養，不可使遵道也。（〈道自然〉，頁858）	聖人之治天下，非易民性也，拊循其所有，而滌蕩之。故因則大，化則細矣。先王之制法，因民之所好，而為之節文者也。（〈泰族〉，頁1064）
3	王道者處無為之事，行不言之教；因循任下，責成不勞。（〈道自然〉，頁859）	人主之術，處無為之事，行不言之教；清靜而不動，壹動而不搖；因循而任下，責成而不勞。（〈主術〉，頁1042）
4	君臣異道即治，同道即亂，各得其宜，處其當，即上下有以相使也。（〈上義〉，頁869）	是故君臣異道則治，同道則亂。各得其宜，處得其當，則上下有以相使也。（〈主術〉，頁1043）

---

10 《群書治要》各全舊體的體例，選用的《文子》未有大量「老子曰」的文句，為其根據的《文子》文本的年代做了明確的界定。

編號	《群書治要‧文子》	《群書治要‧淮南子》
5	聖人之道，非修禮義，廉恥不立。民無廉恥，不可治也；不知禮義，不可以行法；法能教不孝，不能使人孝；能刑盜者，不能使人廉恥。（〈上禮〉，頁873）	民無廉恥，不可治也。非修禮義，廉恥不立。民不知禮義，法弗能正也。非崇善廢醜，不向禮義。無法不可以為治也，不知禮義不可以行法。法能殺不孝者，而不能使人為孔墨之行。法能刑竊盜者，而不能使人為伯夷之廉。（〈泰族〉，頁1064）

這5則文字大略相同，語意脈絡略有差異。第一則《文子》指出嗜欲乃蔽塞人性，使其不平靜的因素，未論述其後效；《淮南子》則進一步論述縱欲為治身、治國失敗之主因。第二則、第三則都論到「因」，因民性，因循任下。不過《文子》將它放在「自然」的脈絡，《淮南子》則放在「術」的脈絡，二者雖有不同，但因任自然，因循任下，在黃老思想乃為「術」的一環，「自然」和「術」可相通、互相詮釋。第四則，《文子》將「君臣異道」放在「義」的範疇，著重其合宜的正當性；《淮南子》則從「術」的觀點，著眼於操作的法則。第五則論禮義與刑法的關係，《文子》著重在刑法只是外在行為的後果，禮義才是心性的自覺和行動的內在主導；《淮南子》則闡明禮義為行法的根基，法則是明確的行為禁制的約束，禮義才是真正擴大廉恥心自發行善的動力。

　　《群書治要》中的《文子》和《淮南子》，從論述的重點來看，有其論述脈絡的不同，但從義理來說，乃相通的論點，故同出相同的文句。就魏徵編纂《群書治要》的典籍時序來說，編排的順序是卷34《老子》、《鶡冠子》、《列子》，卷35《文子》，卷37《莊子》，卷50《抱朴子》，而《淮南子》在卷41。《文子》排在《莊子》、《淮南子》之前，這該是唐初學術的通解，所以魏徵等人應認為《淮南子》襲用《文子》文句，而非《文子》襲用《淮南子》。然《群書治要》並不避諱重出文句，這說明魏徵等人認為二書皆為論書，論述脈絡有異，其文句重出，可為兩者分別共論的課題。更重要的是，重出代表魏徵等人視此為政術的要論，故在二書中互見。重出的5則可說是《群書治要》有意呈現的《文子》政術要論。

　　而《群書治要》採用《文子》的底本問題，我們只要確認當時的面貌、體例（舊體）和編撰者對該書的定位，即可達到我們進行編撰的還原工作，以呈現魏徵等人剪裁之後所呈現的焦點論題。

　　《文子》首卷〈道原〉共10章、3,436字。[11]該篇引用《老子》、《莊子》和《淮南子》諸家文獻，闡述道論。從道的本原、道與陰陽之氣、道與一、道的特性的形容、道

---

11 有關《文子》各章主旨的簡要分析，本文參考丁原植和趙雅麗的研究成果。丁原植：《《文子》資料探索》（臺北：萬卷樓圖書公司，1999年）；趙雅麗：《《文子》思想及竹簡《文子》復原研究》（北京：北京燕山出版社，2005年）。

的因任無為、道與精誠等觀念環節的敘述，構成道論的總綱。《群書治要》編纂者翦除8章，保留了第3章和第7章。第3章原文260字，截取之後，保留56字，第3章論「至人之治」，乃對《老子》治道的發揮。第7章原文240字，截取104字，該章論說人本性清淨平和，嗜欲妨害本性。因此，聖人超脫物欲、反璞歸真，不為物所役使。《文子》描繪道的形象有虛無、平易、清淨、柔弱、純粹素樸五者，編纂者只擇取「清淨」的描繪文本。本卷對道體的論述、陰陽宇宙生化論等皆不取，以「至人之治」作為治術的綱領，從清淨／嗜欲的張力中，聚焦治身與公道的實踐問題。如此一來，所取〈道原〉的文本，不再是道論，而是治術之一目和課題。[12]

《文子》第2卷〈精誠〉共21章、3,397字，編纂者選了第9章、第11章、第19章。取傳世本《文子》來做對比，將《群書治要・文子》中的〈道德〉篇第3章移至本卷第15章，則共選4章。這四章各章截取首尾一貫的文意，共計選錄624字。「精誠」一詞來自於《莊子・漁父》：「真者，精誠之至也。不精不誠，不能動人。」精誠之動人來自於真實、誠信，其化人化物常用「神化」來描述。在傳世本《文子・精誠》的推衍是：神化、自然、游心、貴言、隨時、利人、無為、感應，由此構成了精誠內在動源的感通。《群書治要・文子》則是從修身治國的角度截錄大意，呈現二個論點：（一）在上者自然保真，抱道推誠，則天下從之，如響應聲。政苛則民亂，上多欲下多詐，上多求下多爭。（二）至人內心精誠，志不忘乎利人。樂以天下，憂以天下，德澤所及深遠。《淮南子・修務篇》有「聖人志不忘乎欲利人」，雖是相同的文句和觀念，《群書治要・文子》則在「精誠」的觀念脈絡下，特別凸顯利人乃至人的本性，非有意為之。

《文子》第3卷〈九守〉，共14章、3,388字。編纂者選取第7章和第12章，截取124字。「守」乃守道，「九守」意指守虛、守無、守平、守易、守清、守真、守靜、守法、守弱、守樸。《群書治要・文子》只選取守清，特別著意於「神清則智平，智公則心平，故神清意平，乃能形物之情也」清靜心平的面向。又從「天道極即反」的觀點，選了「先王所以守天下」五守的文句：「聰明廣智守以愚，多聞博辨守以儉，武力勇毅守以畏，富貴廣大守以狹，德施天下守以讓。」呈現編選者取材的角度。

《文子》第4卷〈符言〉，共31章、3,204字。編纂者單取第23章，截取59字。〈符言〉輯錄先秦古典文獻有關禍福、用兵等人道之事的語錄箴言，各章之間並不構成首尾一貫的義理。《群書治要・文子》所取的篇章強調「先自卑」、「先自勝」、「以言下人」、「以身後人」等，和《老子》的義理相關。

《文子》第5卷〈道德〉，共20章、3,275字。因定州漢墓竹簡《文子》殘卷的出

---

12 從治術的角度來論，嗜欲神勞傷身，進而擾民損民，情欲關涉到治身治國，故《群書治要》所選黃老類文本，多有抑情損欲之論，尤其見於《群書治要・老子》。參見林朝成：〈治身與治國：《群書治要・老子》文本的形成與應用詮釋〉，《第三屆《群書治要》學術研討會論文集》。

土，和〈道德〉篇相關的篇章得以復原，本篇被認為最接近《文子》的古本。[13]本篇論述的主題：第1章解釋「道」以及道之所形成道之作用；第3章闡釋德、仁、義、禮四經以及四者的作用；第5章探討何為「聖」，何為「智」；第7章主要說明「道」用於政治中的最佳途徑是執一無為；第9章論兵道；第11章強調守下守後之道；第12章文子問政，說明政治的二條途徑：一是無示以賢，二是無加以力；第15章解釋道德仁義在政治中的根本作用；第20章，上有道德，下有仁義，以「平王問，文子曰」的形式開頭，闡明教化之效。在上位者為下位者的儀範和統治者以道蒞天下的責任，「要在一人，匪由於他」。[14]本篇幾乎涵蓋了簡本《文子》所提及的內容，故有是否為單獨成篇或是分散各篇全書內容匯整的爭論。《群書治要·文子》截選本篇第1章和第3章，所選的主題論及道之作用和論德、仁、義、禮四經作用，又選錄「能成霸王者，必得勝者也」的霸王之論。然因只選錄三章，有關原篇論智、論聖、論政、論兵、論以道治天下的言論完全被刪除，只凸顯老子對德仁義禮的詮解，就本篇作為《文子》思想總綱領的意義，截選者並無此觀念，只依治道的要義，偏選仁義之論題而已。

　　《文子》第6卷〈上德〉，共6章，3,294字。《群書治要·文子》選取第3章，截取42字；第6章，截取45字，二章合為一章，共87字。〈上德〉論身治與國治的對應關係，以陰陽論君臣，主張尚陽道、順陰道，同時以陰陽論人事之吉凶禍福。編纂者截取第3章，立論近於〈九守〉之「守清」，可說是「守清」之延續。

　　《文子》第7卷〈微明〉，共19章，3,372字。《群書治要·文子》選取第5、7、10、11、15、16、17章，共7章，截取898字。〈微明〉篇從觀物之返、察始知終、見微知明、智慮禍福、慎察動靜、防患未然的角度，闡釋治國之道。論述的主題則圍繞在以無言為德；仁義足以全身；仁義需周於時，方能達於道；慎大慎微而行事知止；聖人體天道無為、無為守道防患未然；人君慎行賞罰以體禍福存亡之道。《群書治要·文子》截選的段落文句，保留慎小、慎微、知止、使患無生之「微明」原意，而把重點放在（一）術、（二）仁義、（三）養民。「見本而知末，執一而應萬，謂之術」，從本末關係論述。不離仁義，方能見信，方能「慮患而患解，圖國而國存」。聖人養民，出自於仁愛的本性，「非求為己用，性不能已也」。「仁義」為自然之性，天下之尊爵，合於仁義而身存。經截選的〈微明〉篇文本，成為反應治術的核心論述，為《群書治要·文子》的主旋律。

13　趙麗雅從傳世本〈道德〉篇與定簡《文子》的比較，進行定簡《文子》分篇的思路、章序重構與復原。〈道德〉篇對恢復古本《文子》的整體框架意義重大，由此可探討傳世本與定簡思想的內在聯繫和其隨著時代的發展趨向，最重要的是〈道德〉篇對定簡的取捨改動，突出了道德仁義的關鍵性地位。參見趙麗雅：《《文子》思想及竹簡《文子》復原研究》（北京：北京燕山出版社，2005年）。

14　凡探討《文子》成書及其核心意旨，必對〈道德〉一卷深入探討和詮釋，尤其對於「平王問文子，文子曰」和「文子問，老子曰」的結構仔細探討其成書的原貌，參見葛剛岩：《《文子》成書及其思想》、趙雅麗《《文子》思想極其竹簡《文子》復原研究》。

　　《文子》第8卷〈自然〉，共12章，3,308字。《群書治要・文子》選入第5、6、7、8、9、10章等6章，截取896字。〈自然〉言天道自然、虛靜無為之旨。天道隨時順性，陰陽五行各適其性，為物自生自成。聖人法天道，體察物勢自然之性而順物之宜，能「因」也。聖人「因」民之性，「因」民之欲，因順而不用己。能因即無敵於天下。本卷通同《淮南子》之意，言明無為非不動不為，進而主張聖人致力事功，輔天之道，使百姓通過聖人之行能感受天德，事成之後，法天道生而不有，不為己功。《群書治要・文子》翦除天道自然之文句論述，選取文句的焦點在「治天下」。堯之治天下，能因也。以道治天下，非易民性也。因循任下，責成不勞；私志不入公道，嗜欲不枉正術，乃為因循無為之宗旨。魏徵等人擇取本篇大意，特重人性具有仁義的稟賦，「人之性有仁義之資」，仁義乃人的本性，未取用「不尚賢」文字，而重視「無愚智不肖，莫不盡其能」，乘眾人之知，用眾人之力，乘眾人之勢，為聖人之知。帝王的使命，不是為了滿足個人欲望，而是「欲起天下之利，除萬民之害」。

　　《文子》第9卷〈下德〉，共16章，3,417字。《群書治要・文子》選入1、2、5、10、14、16等6章，截錄1,110字。〈下德〉篇論治身治國之道，「治身，太上養神，其次養形，……治國，太上養化，其次正法」，治身、治國各有本末，知其本末則為治世簡易之道。本篇言明：靜而無為，循性保真，不縱嗜欲，防其邪心，為善最易。人不兼官，官不兼事，農士商工，各安其性。職易守，事易為，為治世之法。《群書治要・文子》刪除對至人之治「虛無寂寞，不見可欲」之體道無為的境界描述，著重在治身治國的落實之道；標舉易善、易治、易守、易為、「易操有功」的治國之論。

　　《文子》第10卷〈上仁〉，共12章，3,378字。《群書治要・文子》選入第2、5、6、7、11、12章，共6章、980字。《文子・上仁》以明君／暗主、君子／亂主、古之為君者／亂國之主等對比的論列方法，著重從足民之用、不奪民時、用兵以時、用民得時說明仁義治國之道。亂國之主致力於擴大領地，不重視實行仁義，造就了亡國的原因。本篇延續〈下德〉篇易治之論，言明「事煩難治、法苛難行、求多難贍」。反之，「功約易成、事省易治、求寡易贍」、「鯨魚失水而制於螻蟻，人君捨其所守而與民爭事，則制於有司」，人君不能任能而好自為，人君捨棄自己職守，與臣下爭做事情，就會受制於官吏的控制。因此，君臣不相代、不相奪，各自持守其位，乃為政簡易之道。《群書治要》截選文句，刪其繁衍，《群書治要・上仁》篇保存了《文子》的基本論點。

　　《文子》第11卷〈上義〉，共16章，3,339字。《群書治要・文子》選入第1、2、4、6、7、8、9、10、11、15、16，共11章、1,594字。魏徵等人選〈上義〉篇的章數、文句占比最高，義理的層面幾乎涵蓋原篇章的治道要點，編纂者精選本篇仁義的論理及其衍生的論題，可說是完整呈現本篇的要旨。在《群書治要・文子》的選文中，本卷最受到重視。就治道的角度來說，本卷總結《文子》全書的思維方式：（一）從本末來論說仁義與法度的關係，仁義為治之本，法度為治之末，法律的產生是為了輔助義的推行。

（二）治人之道猶如古代的善御者造父駕御馬匹一樣，車馬需協調，君臣需和睦一致，才能治理好國家。君臣之法，以義制斷，各得其宜，成就和諧之治。（三）「義」框架下的立法原則：1. 法與時變，故無常法；2. 治國有常法，以利民為本；[15] 3. 法制禮樂為治國工具，非治國之根本。4. 君王制定法度，先以自為檢戒，法度道術是用來限制君王，使他不得獨斷專行。從這個原則出發，「無為者非謂其不動也，言其莫從己出也」，無為不是說什麼都不做，而是各種事情的作為不能從君王自己的私意出發。5. 君臣異道；君道無為，臣道無為，各得其宜。上下處在適當位置，上下之間就可相互為用。6. 君子不求任何一個人盡善盡美，責備於一人，不計其大功，苛求審慮細小的不善，是喪失賢才的做法。總結這六個論點，〈上義〉篇清楚論述仁義與法制的本末關係、君臣的合宜定位、協同治國的準則。

　　《文子》終卷〈上禮〉篇，共9章，2,650字。《群書治要・文子》選入第3、5、8章，計3章、505字。〈上禮〉篇從禮的本質為和順淳樸，故必須隨時、合俗、順性，以返性命之情，禮意不可權變，依順人之自然本性加以引導，從內心去掉其為非之本根而不害性，如此則得中和而萬物皆各安其性，此即「其美在和，其失在權」的宗旨。[16]文子敘述禮失的情狀，國家衰敗，禮趨於末，權變失度，矯飾違逆人之性情，弊病叢生。聖人制禮而不受限於禮，對禮進行改革，使返歸本性，由此確立治國之道，修禮義，立廉恥，依禮義而按法行事。君主治理國家，不得「以苛為察」，把苛刻煩瑣當成精明；「以切為明」把嚴厲當成應明；「以刻下為忠」把對下屬的嚴酷當成對君王的忠誠，這是失政之道。《群書治要・文子》本篇選文刪除了前2章「上古真人」禮樂的論述，而以君主依道治國，推行禮義，其在人事的效用則是「賢者在位，能者在職」；在政治的效用則是社會安定有序，小人恪守本分；在法治的效用則是知禮義後可行法，不以苛刻嚴厲當作行法的手段，截選的文句大體上反映《文子》對禮的詮釋。

　　傳世本《文子》12卷，依篇章順序構成整體的思想體系，從首卷〈道原〉論道的根源、道的動力、道的形象；次卷〈精誠〉論內心精誠、體道化民的體現，依此開展，直到第9卷〈下德〉論治身、治國，第10卷〈上仁〉、第11卷〈上義〉論為治之本，終卷〈上禮〉的禮樂制度和人事政制的實施原則，以具體的政制作為政治實務的完成。《群書治要・文子》從「政術」的角度編選文本，刪翦截選後的文本，是經由魏徵等人編纂的眼光加以重構，編者的意圖和編者對文本的詮釋，再現《文子》的政治思想議題和價值優位的構成。《群書治要・文子・道原》非《文子・道原》原本的中心論旨；〈九守〉、〈符言〉、〈上德〉，《群書治要》只單選1章，難以呈現該卷的論旨；〈道德〉篇《群

---

15 本要點參考趙雅麗的分析。見趙雅麗：〈法之生也輔義──〈上義〉篇研究〉，《《文子》思想及竹簡《文子》復原研究》，頁355-360。

16 參見趙雅麗對於〈上禮〉篇之意旨的言就。見氏著：〈其美在和，其失在權──〈上禮〉篇研究〉，《《文子》思想及竹簡《文子》復原研究》，頁370-418。

書治要》只選「德、仁、義、禮」四經之名義和作用，未能展示《文子·道德》的九個論題。〈精誠〉、〈微明〉、〈道自然〉、〈上仁〉、〈上義〉、〈上禮〉6卷，《群書治要》的截選主旨如上述分析，共構成《群書治要·文子》的思想內核。以〈上義〉為核心的六卷選文為主論說。其他選篇為輔論說，展開了新的文本的思想架構。檢視《群書治要·文子》各卷的占比、觀念詮釋的粗略詳盡、主題出現的頻率和重要性、義理的主軸相關性，筆者歸納《群書治要·文子》12篇的根本問題意識有三：

（一）仁義如何作為治國的路徑和根本原則？

（二）因循無為如何運作，方可利國利民？

（三）君臣異道的統治形態如何作為君臣分位職權的準則，由此展開有效的治理？

由此三個根本問題，我們可以省察《群書治要·文子》如何回應貞觀時代治道的課程，也可以由此反觀魏徵等人如何應用詮釋《文子》，以為治道文化取用之資。

三　貞觀視野下的《群書治要·文子》的政術之道

貞觀初年處於政治治理和政策原則的抉擇時期，正是籌劃治國方針的關鍵時刻。《群書治要》選錄翦裁群書之後的文本，著意在闡明政術的方式以及治體理念的期待，透過編著者的前見，典籍編撰的互動對話，翦截之後的新文本賦予了傳統群書資治的新意和應用詮釋的新視野。那麼，貞觀初年政術的問題何在？《貞觀政要》記載著唐太宗的追憶，整體呈現當時治國政策的論題：

> 朕即位之初，有上書者非一。或言人主必須威權獨任，不得委任群下；或欲耀兵振武，懾服四夷。惟有魏徵勸朕「偃革興文，布德施惠，中國既安，遠人自服」。朕從此語，天下大寧，絕域君長，皆來朝貢，九夷重譯，相望於道。[17]

太宗的追憶，不無欣慰與誇耀之意，然也忠實反映當時的政治走向問題。太宗踐祚，國家大政方針分歧，有三大核心問題擺在眼前，急需決斷。一是威權獨運與委任群臣的統治形態問題；二是耀兵振武或是以德服人的軍事、外交問題。這兩個問題當是編纂《群書治要》時，君臣的共同問題意識，希冀在群書中找到可以資鑑論辯的實務理據。

貞觀4年，魏徵和尚書右僕射封德彝有個理政得失的辯論。試觀兩人論述，或將決定貞觀時期國家治理的走向。魏徵主張：

> 五帝、三王，不易人而理。行帝道則帝，行王道則王，在於當時所理，化之而

---

17 唐·吳兢撰，謝保成集校：《貞觀政要集校》（北京：中華書局，2012年），頁290。

已。考之載籍，可得而知。[18]

魏徵認為朝代或有更替，但五帝、三王的功業，行仁義之治，「聖哲施化，上下同心，……三年成功，猶謂其晚」。[19]魏徵論行王道、帝道的治理型態，認為在群書典籍中皆有文本可依憑取用。封德彝不認同此說，從國家現實的處境中提出反駁的論說：

> 三代以後，人漸澆訛，故秦任法律，漢雜霸道，皆欲化而不能，豈能化而不欲？若信魏徵所說，恐敗亂國家。[20]

封德彝認為秦漢以來，所以採用法律，行雜霸道，關鍵就在於「人漸澆訛」，失去了三代純樸的人性，已經無法有效推行仁義。在封德彝和魏徵的爭辯中，兩人皆以對方為非，彼此無法互相說服，可說是二種治理型態的論爭。在論爭中，太宗採用魏徵的說法，也收到了具體的成效。太宗為何能明確抉擇？依《貞觀政要・論仁義》首章所載，太宗在貞觀元年，已有定見：

> 朕看古來帝王以仁義為治者，國祚延長；任法御人者，雖救弊於一時，敗亡亦促。既見前王成事，足為元龜。今欲專以仁義誠信為治，望革近代之澆薄也。[21]

太宗肯認近代人性澆薄，然這並非決定性因素，澆薄之風可革，亦可返回純樸。太宗總結歷史經驗，從國祚延長或敗亡短促的效應，判斷仁義治國要勝於任法御人的治理方式，所以盼能踐行仁義、誠信之治，以作為治國的根本原則。

宋人樓鑰（1137-1213）評判封德彝和魏徵的爭論，並下了斷言：

> 唐太宗求治之初，魏徵仁義之說，自今觀之，是為空言；封德彝法律之說，自今觀之，是為實用。然太宗斷然行魏徵之言，而成貞觀之治。[22]

一代發展之初，政術的是非、優劣並非清楚可見，爭辯自然存在；空言、實用的分判，也不能斷定其是否成功。然太宗、魏徵君臣言仁義之治，成就「貞觀之治」，並非只是「空言」，樓鑰忽略了太宗、魏徵二人皆明文指出，仁義之治的成效來自典籍所載的歷史經驗。因此，魏徵等人在編撰《群書治要》時，時代論爭的課題，必然成為其翦截群書的先見，將此先見讀進群書的脈絡中，以為治術的要旨。

王安石（1021-1086）對於貞觀之治評價不高，獨尊三代之治，但對這段貞觀故事，亦引為同調。王安石上書仁宗皇帝言：

---

18 唐・吳競撰，謝保成集校：《貞觀政要集校》，頁36。
19 唐・吳競撰，謝保成集校：《貞觀政要集校》，頁36。
20 唐・吳競撰，謝保成集校：《貞觀政要集校》，頁36。
21 唐・吳競撰，謝保成集校：《貞觀政要集校》，頁249。
22 宋・樓鑰：〈論實用空言〉，《攻媿集》（北京：中華書局，1985年），頁301。

> 昔唐太宗貞觀之初，人人異論……唐太宗之初，天下之俗，猶今之世也。魏文貞
> 公之言，固當時所謂迂闊而熟爛者也，然其教如此。[23]

宋人對貞觀時期魏徵仁義之說，特為重視，卻都未對其背後的群經文化資本有所論及，可見《群書治要》已淡出宋人的目光，而其編選時「務乎政術」的用意亦已隱晦，固有王安石、樓鑰視「仁義之治」為迂闊熟爛者的空言。然其為常道，固成效如此之巨大輝煌，也因此，今人重讀《群書治要》，不可不從貞觀君臣的觀點，省察所選輯群書的新文本，其所彰顯的貞觀視角。

（一）仁義與公法：本末的應用詮釋與調和

　　從前節對《群書治要·文子》的解析，仁義為該文本論述最多，層面涵蓋最廣的核心概念。《群書治要·老子》不選絕聖棄智、絕仁棄義、絕學無憂等牴觸儒家根本思想的篇章，但就文本的基底，仍然無法對仁義之治有任何的肯定之言。[24]在《群書治要》所選輯的道家典籍，對仁義之治最為深度的論述，非《群書治要·文子》莫屬。《群書治要·文子》的根本意識：「仁義如何作為治國的路徑和根本原則？」在選輯翦裁的文句中充分展開。

　　《文子》常有道德、仁義對比的修辭論說，如《群書治要·文子》所言：「故亂國之主務於廣地而不務於仁義，務於高位而不務於道德，是捨其所以存，而造其所以亡也。」（〈上仁〉，頁866）「仁義」偏於仁義之治的政治責任意涵，「道德」則偏於無為自守的職份，兩者並列而論，闡明亂國之主造就亡國的條件。相提並論，即顯示仁義與道德則是相互為用所共構的治國之道，違背之，則治理之道阻塞不通，乃為國之所以滅亡的原因。

　　《文子》對仁、義的用法，並沒有明確的定義，而是在語用中脈絡性的說明仁、義的作為，「故仁，莫大於愛人也」（〈徵明〉，頁854）、「仁者人之所懷也，義者民之所畏也」（〈道德〉，頁853），仁者以愛人為主旨，是百姓所歸向；義者行事公正，能適當合宜給出一個正當的判斷，為百姓所敬服。然而仁與義分別對列，在《文子》的用例少見，仁義二字在《文子》中常連用，表示內在的心性和常行的政治義理、準則。

　　在黃老的思想中，仁義是出自於自然的人性嗎？《老子》偏向於仁義為人的私情的普遍化，乃是人的有為所形塑的倫理動機和規範。《文子》則積極肯定仁義出自人的稟賦：「故仁義者，事之常順也，天下尊爵也。」（〈微明〉，頁856）又言：「人之性有仁義

---

23 宋·王安石：〈上仁宗皇帝言事者〉，《臨川先生文集》（臺北：華正書局，1975年），頁423。

24 參見林朝成：〈治身與治國：《群書治要·老子》文本的形成與應用詮釋〉。該文對《群書治要·老子》對《老子河上公章句》的剪裁，有六不選的詳細解說。

之資，非聖王為之法度，不可使向方也。」（〈道自然〉，頁856）文子主張仁義內在，其觀念與孟子近同。既使需「聖王為之法度」，但聖王「以道治天下，非易民性也，因其有而條暢之」（〈道自然〉，頁856）聖王是順民之性情並加以因順疏導，使之更加條暢，並非外在於人的性情，強力約束，使其合乎規範的教化之道。

《群書治要・文子》以仁義作為根本原則，由仁心、愛人之心而行仁義之政，改革近人澆薄之風，為貞觀君臣所取用。然其仁義的取徑所產生的政治週邊效應和定位為何？《文子》以「信」作為仁義之治的效益，建立起互信的社會。《文子》言：「有功，離仁義即見疑；有罪，不失仁心者必見信。」（〈微明〉，頁856）以仁義作為互信之基礎，也是革澆薄之風所以可行的道理吧！

魏徵、封德彝二種治理型態之爭，在《群書治要・文子》中是以本末的思維模式加以論說：

> 治之本，仁義也；其末，法度也。……先本後末，謂之君子；先末後本，謂之小人。法之生也，以輔義，重法棄義，是貴其冠履而忘其首足也。（〈上義〉，頁867-868）

《文子》的說法，正是魏徵劗裁《文子》，而以〈上義〉卷為核心要論的詮釋意圖吧！這個論點和《管子》相比較，更能凸顯《文子》的要旨：

> 昔者堯之治天下也，……故堯之治也，善明法禁之令而已矣。黃帝之治天下也，……故黃帝之治也，置法而不變，使民安其法者也。所謂仁義禮樂者，皆出於法，此先聖之所以一民者也。[25]

管子以堯與黃帝治天下為典範，堯治天下時，透過君臣所共立的「法」，明白宣示法的內涵和法的適用範圍，以守護法的執行；黃帝治天下，則落實法的安定性，不易其法，使人民安守其法。在「明法」與「置法」的關鍵作為上，確立「法」的核心價值與地位。然管子由此推衍出「所謂仁義禮樂者，皆出於法」，則為跳躍式的推論，並不能由「法」本身所導出，但其以「法」為本，「法」生「仁義禮樂」的主張明顯可見。

《文子》法為末，《管子》法為本，本末之間是否有其融通調和之處？《文子》「仁義為本，法度為末」的主張，著重在其價值優位的辨明和實施步驟的安排與妥當性，所以強調「先本後末」，先後之說並非「以本斥末」，而是本末皆要在適當的定位上，末以輔本，法以輔義，使得仁義法度各安其位，各自發揮其治道的實踐價值。

傳統的「法」有二種型態：（一）刑罰、禁制之法，所以禁強暴也。（二）規章制度的規範和權限，也就是政治的法度綱紀。《文子》論法，最重要的論點放在〈上義〉

---

25 黎翔鳳：《管子校注》（北京：中華書局，2017年），頁901-902。

卷,可見是在「末」的角度,提出法的本義:

> 法非從天下,非從地出,發於人間,反己自正。誠達其本,不亂於末;知其要,不惑於疑;……所禁於民者,不行於身,故人主之制法也,先以自為檢戒(式)。故禁勝於身,即令行於民矣。夫法者,天下之準繩也,人主之度量也。……犯法者,雖賢必誅;中度者,雖不肖無罪,是故公道行而和欲塞也。……其立君也,所以制有司使不得專行也;法度道術,所以禁君使無得橫斷也。(〈上義〉,頁869)

法是人為的、強制性的政治秩序,所貴於法者,為其「公正」、「公平」,「公正」意指去除個人愛憎、情欲等情緒上的負面影響,依法令規章辦事,避免賞罰的不當;「公平」意指不從身分上富強卑賤的差異而有不同的對待,行政官員(有司)不得逾越法令職權,不得獨斷專行,恣意妄為。《文子》論法,特著重在法的及身性,「反己自正」、「所禁於民者,不行於身」即及身性的考量,也是法令所以可為天下準繩的依據。

《文子》論法和《韓子》、《管子》最大的不同,便是批判「君尊臣卑」的主張、「法以御臣」的術道思維,而明確主張「法度道術,所以禁君使無得橫斷也」。法規、制度、治道、綱紀都及於君主,用來約束君主,使君主不得無理專斷。禁君橫斷,是法的守護,公正、公平訂定法律,執行法律,則是在法的強制權力下,使法制得以輔注仁義之治的效應。

(二)因循事變,利民為本

漢代司馬談(西元前169-前110年)〈六家要旨〉論道家,三次重複談及「道家」為一種「術」,即「其為術也」、「釋此而任術」、「其術以虛無為本,以因循為用」,未曾稱「其為道也」,或「其道以虛無本」。[26]由此可見,在司馬談心目中,道家的特質是一種「術」,而不是「道」。「術」是可以落實操作的方案,是「用」。司馬談「道家」一詞原本指的是「黃老道家」,稱「黃老」為術,清楚地說明黃老之學重「用」的經世特質與功能。[27]《群書治要‧文子》的文本,重構後的政術思想是否呈現新轉向,「術」也是一個衡量標準。

黃老思想「因時」、「因物」、「因地」,因一切該因的條件與事物,行事故能理想而有效。《群書治要‧文子》截錄〈道自然〉篇說明因循之術:「故先王之法,非所作也,所因也;其禁誅,非所為也,所守也。」(〈道自然〉,頁858)「因」即因順,「非所作

---

26 劉宋‧裴駰集解,唐‧司馬貞索隱,唐‧張守節正義:《史記集解》(臺北:藝文印書館,2005年,據乾隆武英殿刊本影印),頁1350。

27 陳麗桂:《《老子》異文與黃老要論》(臺北:五南書局,2020年),頁211。

也」不是憑空主觀創作出來的一套辦法，「非所為也」不是主觀上想要有所作為，「所守也」是遵守客觀規律的結果，這是「因」的基本規定。「因」是治理天下的法則，《文子》言：

> 以道治天下，非易民性也，因其有而條暢之。故瀆水者因水之流，產稼者因地之宜，征伐者因民之欲，能因即無敵於天下矣。故先王之制法，因民之性，而為之節文，無其性，無其養，不可使遵道也。人之性有仁義之資，非聖王為之法度，不可使向方也。（〈道自然〉，頁858）

因水之流，因地之宜，因民之欲，乃依客觀條件順當地運用發展。關鍵是所因的性質條件是什麼？《文子》認為人的本性具有仁義的稟賦，給他適當的規章制度約束，也是需要順著仁義的本性定立規範方向。法度乃順著人的仁義本性才能發揮作用，從治理天下來論，並不是要改變人內在的仁義性情，「因」而得其義，始有其功效。

《文子》的民欲包含甚廣，「乘時勢，因民欲，而取天下也」（〈下德〉，頁863），乃一切順從民性動向、求生本能而來的需求，統括起來，即因民之利。翦裁而成的《文子》新文本，則從利民的角度，談因時宜：

> 治國有常，而利民為本；政教有道，而令行為右。苟利於民，不必法古；苟周於事，不必循俗。故聖人法與時變，禮與俗化，衣服器械，各便其用；法度制令，各因其宜。（〈上義〉，頁868）

各因其宜，為「因」的重要原則，而利民正是因其宜的根本。《文子》積極重視「利民」，雖說「天下大利，比身即小；身所重也，比義即輕，此以仁義為準繩也。」（〈上義〉，頁870-871）但天下大利，若歸於民，而不歸於君王，那也是治國的常道，義與利兩者未必有衝突，而是相輔相成的關係。

《文子》論聖人的作為，「非以貪祿慕位，將欲起天下之利，除萬民之言也。」（〈道自然〉，頁860）這是吸收墨子思想的論點，《文子》以為聖人所做的事，都是殊途同歸，「聖人之心，日夜不忘乎利人，其澤之所及亦遠也。」（〈精誠〉，頁851）不忘利人，是聖人的心性，因其心性，以利民為本，所以德澤所及廣遠。《文子》因循為用的論說，以道家為基底，擇採儒家仁義之說，結合墨家興天下之利的基源關懷，構成了因循無為、利民為本的根本問題意識，在《群書治要・文子》的文本中彰顯出來。這個觀點也呼應《貞觀政要・君道第一》首章的說法：

> 貞觀初，太宗謂侍臣曰：「為君之道，必須先存百姓。若損百姓以奉其身，猶割脛以啖腹，腹飽而身斃。」[28]

---

28 唐・吳兢撰，謝保成集校：《貞觀政要集校》（北京：中華書局，2012年），頁11。

先存百姓，即以百姓為先，相應於以利民為本，不忘乎人的聖人之心。這又和《群書治要·老子》所引《河上公章句》的注文「聖人重改更，貴因循，若自無心也。百姓心之所便，因而從之」（〈任德〉，頁823）相通氣，可說是《貞觀政要》與《群書治要》的互相發明。

（三）君臣異道：職分倫理的定位與分限

　　從《貞觀政要》的觀點對於《群書治要》選編竄截的群書加以關聯性探究，可整理出《群書治要》聚焦的討論論題。[29]其中，為君難、為臣不易、君臣共生三個主題關涉到君道與政體，所論述的課題又和貞觀初年專權獨任與分權委任兩種統治形態的抉擇相關。因此，魏徵等人選編道家類群書時，自然關涉到道家類群書「君臣異道」的論點，並將應用、資治等編撰者的企圖，貫注到實際的文本竄裁中。

　　在魏徵等人選編竄截的《莊子》郭象注的文本時，只編選進〈胠篋〉、〈天地〉、〈天道〉、〈知北遊〉、〈徐無鬼〉五篇，約兩千字的文字。然其中的主題顯著地聚焦在「主上無為於親事，而有為於用臣」的課題。[30]君臣兩端之關係，是自古以來難以解決的問題，或無道或有道，或縱樂安逸以亡國，或之戒慎以成業。為臣者，或能忠心直道以身殉國，或成碩鼠危亡邦國。前者顯為君之難，後者著為臣不易。而影響君臣對待關係的結構要素，正是對君臣職份的設想與規範。「君無為，臣有為」的結果便是「君臣異道」的走向和發展。

　　《群書治要》選錄《管子》二十篇，竄截各篇內文，共採錄一萬餘字的文本。採錄的文字數量不可謂不多，在相當程度上成為貞觀政術的理論參照。魏徵選錄《管子》文本，偏重在「任賢授德」、「無為而治」、「牧民四維」、「立君三審」等論點，但對於《管子》「君臣共道則亂」、「君臣異道」、「臣主之分明，上下之位審」的「分位」觀，則隻字未取。所以如此的緣故，是因管子主張「君尊臣卑」維護君主權力，申論駕馭群臣的治術，違背了君臣合契相得的貞觀理念。《管子·明法解》這樣主張：

> 人主者，擅生殺，處威勢，操令行禁止之柄，以御其群臣，此主道也。人臣者，處卑賤，奉主令，守本任，治分職，此臣道也；故主行臣道則亂，臣行主道則危，故上下無分，君臣共道，亂之本也。[31]

---

29 《貞觀政要》和《群書治要》相交涉的主題繁多，其中有七大主題最是鮮明：為君難、為臣不易、君臣共生、直言受諫、牧民、法制、戰兵。參見林朝成：〈《群書治要》與貞觀之治：從君臣互動談起〉，頁101-142。

30 參見林朝成：〈無為於親事，有為於用臣──論《群書治要·莊子》中「聖人」觀之流衍〉，《第一屆《群書治要》國際學術研討論論文集》（臺北：萬卷樓圖書公司，2020年），頁331-354。

31 黎翔鳳：《管子校注》，頁1208。

顯然，在此脈絡下的君臣分途、君臣異道的思維，不僅單純為了尋求有效治理，更透露出嚴守上下尊卑分際的權位心態。「分位」成為管子思想的核心主張：

> 制群臣，擅生殺，主之分也；縣令仰制，臣之分也。威勢尊顯，主之分也；卑賤畏敬，臣之分也。……故君臣相與，高下之處也。如天之與地也。[32]

「主之分」意同「主道」，「臣之分」與「臣道」無異，但以「分」代「道」的說法，更顯宰制約束的權力。如身為君主就必須「威勢尊顯」，能「令行禁止」，作為人臣就必須「卑賤畏敬」，能「奉法聽從」，體現「主尊臣卑」，主行臣從的分位秩序。這和貞觀君臣強調「君臣一體」良性和諧互動，共同承擔治國責任，有絕大的差異，《群書治要》不取此主張論說，是表達明確的否定、批判之意。

取與不取，錄與不錄，皆反映編者的意旨。那麼，《群書治要‧文子》文本又表達何種型態的君臣分位職權的準則，以展開有效的治理？〈上義〉卷在論治道之本（仁義為治之本）、治國有常（利民為本）、法度道術（禁君使無橫斷）之後，提出君臣異道的主張：

> 君臣異道即治，同道即亂，各得其宜，處其當，即上下有以相使也。故枝不得大於幹，末不得強於本，言輕重大小有以相制也。（〈上義〉，頁869）

「君道無為，臣道有為」君臣異道為黃老諸書共同之論，在這個主張下，各部典籍闡述的詳略偏用略有不同。《群書治要‧文子》所做的說明是君臣各守有為無為的分位，各自做好恰當的事情，處在適當的位置，不易奪，那麼上、下之間就有條件相互為用，互相有所借助。末（樹梢，指臣）不能比本（樹根，指君）強壯，臣不能比君更具權勢，輕重大小有各自應行的法則，互相制約。君臣之道各有所當，有為無為治理方法不同，國家的治亂，就決定在君臣異道或君臣同道的施政制度和權分的安置。這條引文是對君臣異道原則性的闡釋，著重在君臣「相使」、「相制」的相互為用、相互制約的互動關係上。

〈上仁〉卷說明君臣分位的錯置導致有害於治的亂象：

> 鯨魚失水而制於螻蟻，人君捨其所守而與民爭事，則制於有司。以無為持位守職者，以聽從取容，臣下藏智而弗用，反以事專其上。君人者不任能而好自為，則智日困而數窮於下。（〈上仁〉，頁866）

從〈上仁〉篇的脈絡來論，先闡述至仁者用天下的胸懷，塑造了「故號令能下究而臣情得上聞，百官修通，群臣輻湊」（〈上仁〉，頁864）的行政環境和施政效能，接著說明上仁者（君主）的用人之道：「善否之情，日陳於前而不逆，賢者盡其智，不肖者竭其

---

32 黎翔鳳：《管子校注》，頁1220。

力；近者安其性，遠者懷其德，用人之道也。」（〈上仁〉，頁864-865）人君之職守，即塑造具有效能的君臣共治的環境和善盡用人之道，任用賢能之才，使其在職分上能盡情發揮。若從〈上義〉篇來看，人君除了任用賢才，百官適職之外，仁義政體、愛養百姓、利民為本也是君主的職分。這便是《群書治要·莊子》「無為於親事，有為於用臣」的具體應用和推衍。

人君捨棄自己的職守，與民（臣）爭事，其惡果即是侵犯臣下的職權，養成臣下順著人君的性情愛憎來控制人君。以無所作為（無為）來守持其位的官吏，往往以順從君意來求得容身，君親事而未能，破壞官僚體系和治理效能，終導致「上下乖心，群臣相怨」（〈上仁〉，頁866），人君沒辦法與臣下相處，盡失君臣治國之職分。《文子》告誡人君，親事侵權的後果：「代大匠斫者，希不傷其手也。與馬逐遠，筋絕不能及也。」（〈上仁〉，頁866）所以在〈微明〉卷，《文子》下了個結語：「水下流而廣大，君下臣而聰明，君不與臣爭功而治道通。故君根本也，臣枝葉也。根本不美而枝葉茂者，未之有也。」（〈微明〉，頁856）

「君無為，臣有為」，「無為」在《群書治要·文子》中有多面向的界定，已脫離《老子》原意，發展黃老無為之說的意涵。無為的界定，見於〈道自然〉卷和〈上義〉卷。先說其第一義：

> 所謂無為者，非謂其引之不來，推之不往，迫而不應，感而不動，堅滯而不流，捲握而不散也。謂其私志不入公道，嗜欲不枉正術，循理而舉事，因資而立功，推自然之勢也。（〈道自然〉，頁859）

「無為」並非固執不動，拘泥不化，而是隨順自然之勢，感而遂通。重要的是對治私志、嗜欲，當私志、嗜欲主導了政治的治理和公共領域，甚至公道的判準和合理政策的施政，那便是失道的暗君。因此，《群書治要·文子》中〈道原〉卷「夫至人之治，……除其嗜欲」（〈道原〉，頁849）、〈精誠〉卷「上多欲即下多詐，上煩擾即下不定」（〈精誠〉，頁850）之論，皆屬於「無為」論說的前提要件。

無為者「因資而立功」，因其才能資質而任用之，則各得其宜，各盡其才，因資立功之效也。同卷又言：「故聖人舉事，未嘗不因其資而用之。」（〈微明〉，頁859）因資任事，簡易之道也。《文子》力言：「有一功者處一位，有一能者服一事。力勝其任，即舉者不重；能勝其事，即為者弗難也。聖人兼而用之，故人無棄人，物無棄財矣。」（頁859）這是從《老子》的文本，發揮用人之道。在「君無為」的視角下，「臣有為」成為易於實踐的制度安排。除了力能勝任外，《文子》主張任官之道，要使職分易守：

> 治世之職易守也，其事易為也，其責易償也。是以人不兼官，官不兼事，……各安其性也。（〈下德〉，頁862）

一人不兼兩官，一官不兼兩事，功約易守，事省易治，各安其性，職分上各自有為，此為《文子》臣有為的制度安排。

「無為」的引申義，據〈上義〉卷所言：「無為者，非謂其不動也，言其莫從己出也。」（〈上義〉，頁869）法度道術，由公道行，非出於己之嗜欲私好，法度道術及於君主自身，「所以禁君使無得橫斷也」。依此言，遵行法度道術，對於國君而言，亦屬「無為」也。

黃老無為的通用義乃「因循任下」，通常在引用《老子》的文本下進行論說：

> 王道者處無為之事，行不言之教；因循任下，責成不勞；……其聽治也，虛心弱志，是故群臣輻湊并進，無愚智不肖，莫不盡其能。君得所以制臣，臣得所以事君，即治國之道明矣。（〈道自然〉，頁859）

因循之義，如上一小節所述，以因循論無為，乃為黃老之通義。本段引文《文子》放在〈道自然〉的脈絡中，《淮南子》則是放入〈主術篇〉的行文。「術」和「自然」有相通之處，因此處的「術」並非御臣之術，也不是維護君主權勢與賞罰權柄的「術」，而是除嗜欲、去煩亂的「虛心」；不取權力欲望，謙讓私志的「弱志」。因此「君得所以制臣」，是以讓開己之權力宰制意志的「不制之制」；臣得以事君，是在己之權責上，各盡其職能的「不事之事」。《淮南子》甚至將之提升美化為君臣相忘的最高境界：

> 主者，國之心也。心治則百節皆安，心擾則百節皆亂。故其心治者，枝體相遺，其國治者，君臣相忘也。（《群書治要·淮南子》，頁1049）

以身心的關係來譬喻君臣的關係，君臣異道，各得其所，君臣相忘，無所思念。這種道家式的理想，《文子》並沒走這麼遠，「君臣相忘，無所思念」道化的治道，畢竟不是魏徵等人關心的治道的作用與境界，《群書治要·文子》「君臣異道」的作用的詮釋，乃是治術可作為指導原則的方法，他還是回到更為實際的理想。

《文子》論人君與群臣的關係，並非如法家申不害（西元前420-前337年）、韓非（西元前281？-前233年）一系所闡明的督核臣下的君術，這是末流，而是君臣相和、協調治理國家。以造父御馬為喻：

> 治人之道，其猶造父之御馬也。內得於中心，外合乎馬志，……今夫權勢者，人主之車輿也；大臣者，人主之駟馬也。身不可以離車輿之安，手不可以失駟馬之心，故輿馬不調，造父不能以取道。君臣不和，聖人不能以為治。執道以御之，中材可盡；明分以示之，奸邪可止。（〈上義〉，頁868）

君臣相和，有如車馬的協調一般，人君要了解群臣的心志，以道來駕馭群臣，以明確職責公示群臣，君臣同步，才能成為治理的準則。《文子》不取《管子》君臣異道的說

法，否定了「君尊臣卑」的絕對格局，君臣異體而相協和，該是《文子》認為有效治理下的君臣關係。

四　結語

　　本文從《群書治要・文子》和傳世本《文子》的比對入手，試圖探討經過剪截之後的《文子》文本展現何種面貌，由此來說明《群書治要》編纂者的意圖和「以編代作」的政治思想經典的應用。因《文子》文本幾經整理和重編，要確定對比的《文子》底本，故從魏徵等人編纂《群書治要》「各全舊體」的角度，發現傳世本「老子曰」的出現，將《文子》以《老子》注疏古本的面貌來定位，故有172處皆冠上「老子曰」。去除每章加上的「老子曰」後，便能呈現《文子》論說體的論書體例。

　　傳世本《文子》和《淮南子》有80%雷同襲用，本文採信最新的學者研究成果，認為是《文子》抄襲《淮南子》，至於抄襲的意圖應是原本《文子》毀損之後，後人整理時加入抄襲內容以補充文本，但就初唐的通說來論，《文子》先於《淮南子》，所以當時時人並不認可《文子》抄襲之說。二者從共同論域的主題整理、襲用的角度來理解，也許更切合實際的狀況。

　　經由逐篇比對《文子》12篇，透顯選編的手法和各章選比不同，所呈現的不等章數和字數，以及選編後各篇的論題。筆者歸納這些論題，將之分為三組論題：

（一）仁義如何作為治國的路徑和根本原則的「仁義與公法」的論題。

（二）因循無為如何運作，方可利國利民的「因循事變，利民為本」的論題。

（三）君臣異道的統治形態如何作為君臣分位職權的準則，由此展開有效治理的「職分倫理的定位與分限」的論題。

經由這三個論題的分析，筆者發現《群書治要・文子》扣合著《貞觀政要》的政治理念，提供政治參資論辨的經典理據，而《文子》也從黃老思想典籍的行列，走進《群書治要・文子》以儒家政治理想為主軸，融會了道家、《墨子》的思想傳統中。

徵引文獻

一　原典文獻

唐・魏　徵等編撰，蕭祥劍點校：《群書治要（校訂本）》，北京：團結出版社，2015年。

唐・吳　競撰，謝保成集校：《貞觀政要集校》，北京：中華書局，2012年。

劉宋・裴　駰集解，唐・司馬貞索隱，唐・張守節正義：《史記集解》，臺北：藝文印書館，2005年，據乾隆武英殿刊本影印。

宋・王安石：《臨川先生文集》，臺北：華正書局，1975年。

宋・樓　鑰：《攻媿集》，北京：中華書局，1985年。

二　近人論著

丁原植：《《文子》資料探索》，臺北：萬卷樓圖書公司，1999年。

王利器：《文子疏義》，北京：中華書局，2009年。

李定生、徐慧君：《文子校釋》，上海：上海古籍出版社，2004年。

林朝成：〈《群書治要》與貞觀之治：從君臣互動談起〉，《成大中文學報》第67期（2019年12月），頁101-142。

林朝成：〈治身與治國：《群書治要・老子》文本的形成與應用詮釋〉，《第三屆《群書治要》學術研討會論文集》，臺北：萬卷樓圖書公司，2022年。

林朝成：〈無為於親事，有為於用臣——論《群書治要・莊子》中「聖人」觀之流衍〉，《第一屆《群書治要》國際學術研討論論文集》（臺北：萬卷樓圖書公司，2020年），頁331-354。

河北省文物研究所定州漢簡整理小組：〈定州西漢中山懷王墓竹簡《文子》釋文〉，《文物》1995年第12期（1995年12月），頁1、27-34。

張豐乾：《出土文獻與文子公案》，北京：社會科學文獻出版社，2007年。

陳麗桂：《《老子》異文與黃老要論》，臺北：五南書局，2020年。

葛剛岩：《《文子》成書及其思想》，成都：巴蜀書社，2005年。

趙雅麗：《《文子》思想及竹簡《文子》復原研究》，北京：北京燕山出版社，2005年。

潘銘基：〈《群書治要》所載《文子》異文研究——兼補王利器《文子疏義》以《群書治要》校勘《文子》例〉，《興大中文學報》第44期（2018年12月）。

黎翔鳳：《管子校注》，北京：中華書局，2017年。

道家的政道與治道
——以《群書治要·莊子》選錄文本為詮釋核心

葉海煙

國立成功大學通識教育中心兼任教授

摘要

　　《莊子》一書作為中國古典哲學極其重要的文本，兩千多年來已然歷經多方之汰選與剪裁，而出現了歷代學者運用其詮釋能力，對此一看似固著而有其一定範域的卷帙，進行了充滿詮釋自由的意義重構，而因此展拓出莊子學的多元面向；其間，《群書治要》所輯錄的《莊子》，雖只保留了《莊子》外雜篇共五篇的部分內容，但已然可見編輯者從「聖人」與「道治」的意理高度，意圖勾勒古典道家所蘊藏的政治理想的特殊用心。因此，本文在肯定《莊子》以人文為本為根的政治理想之後，即設法回應下述之問題：古中國有治道而無政道？道家有其可以比擬於儒家的「大一統」的觀念嗎？「治道」如何上達於「道治」？而後肯定道家自有近乎「公天下」的「君臣共治」的構想，而無為而治的帝王之德，乃自有其「政道」之義與「治道」之義。由此看來，《群書治要》裡的《莊子》所揭顯的理想政治之藍圖，乃意圖將政道與治道合而為一，以設法掙脫人間權力、律法、體制與政治行動之效力所肇致的種種範限。

關鍵詞：政道、治道、道治、無治、君臣共治、公天下

The Political and the Governed Principle of Daoism:

Investigation on the Textual Interpretation of *Zhuangzi* in The Governing Principles of Ancient China

Yeh, Hai-Yen

Adjunct Professor, National Cheng Kung University Center for General Eduction

Abstract

The book *Zhuangzi*, an extremely important text of classical Chinese philosophy, has been selected and trimmed by various sources over the past 2,000 years, and has been interpreted by scholars throughout the ages. This seemingly fixed text, which has a certain range of meaning, has been reconstructed by means of diverse interpretation, thus expanding the multifaceted aspects of *Zhuangzi*. In the meantime, the content of *Zhuangzi*, as recorded in The Governing Principles of Ancient China (Qún Shū Zhì Yào), has only retained five Outer-miscellaneous chapters of *Zhuangzi*. However, it is obvious that anthologists intended to sketch the political ideals embodied in classical Taoism from the ideological perspective of the "Sage" and the "Governed principle of Dao". Therefore, by affirming *Zhuangzi's* humanistic political ideal, the following questions would be responded. Is there a governed principle but no political principle in ancient China? Does Daoism have a concept of "Great Unity" comparable to that of Confucianism? How does governed principle reach political principle? And then it is certain that Daoism has its own conception of the "Co-governance between the monarch and his ministers", which is almost "The World of Justice and Equality". The Emperor's virtue of governing unintentionally has its own sense of the governed principle and the political principle. Hence, the ideal political blueprint, revealed by *Zhuangzi* in The Governing Principles of Ancient China, is intended to unify the political and the governed principle for the sake of escaping from the limitations imposed by the extent of authority, by law, by institutions and by the effects of political action.

Keywords: Political Principle, Governed Principle, Governed principle of Dao, Deconstructive Governance, Co-governance between the Monarch and his Ministers, The World of Justice and Equality

一 前言

　　《群書治要》為《老子》與《莊子》二書文本做出別具心裁的選輯與重錄，其中，顯然蘊含編著者直接對應當時皇權與吏治協同運作的政權結構及其治理實況，所引發的政治理念與政治智慧；而若論斷這兩本經典之所以再一次如此現身，編著者主要的關懷與意向，或許不外乎如下之緣由：政權與治權（或是「政道」與「治道」）之間，究竟能否相互對應，以至於彼此相融而互動，而終使「聖君」與「賢相」能夠協同一致，分工又合作，一起為實現天下大治的至高理想，而各司其職，各盡其責。

　　顯然，《群書治要》的編錄者通過其所費心蒐集的經典文本，以塑造出他們心目中的政治領導典範——「聖人」之形象，以及其所嚮往的「道治」的理想境界，是不僅已經超出歷來儒家與道家分庭抗禮的意理型態與思想格局，甚至已然在「道思維」的廣衢之中，構作出試圖安頓人心以平治天下的道家型態的觀念平臺與實踐路徑。

　　因此，為了揭顯《群書治要》撰作者的用心及其汰選古籍的巧思，本篇將對其所刻意選輯的《莊子》文本裡，展開具結構性與脈絡性的重組工作，以呈現一兼具文本意義與理論意義的特殊的觀念再造與版本重鑄，並試圖進行具有現代意義的詮釋與解析，而由此試圖對前人研究的學術積累，予以合理的論斷與品評，以便理解《莊子》所寓含的「政道」與「治道」二途並行的意理蘊藏，究竟如何能夠在盛唐政治人物的理想藍圖中，拓開理論與實踐二者合轍同軌的思想歷程，從而揭示《莊子》一書歷經長時間的文化淘洗與學術鍛鍊之後，所可能沉澱出的意義因子與思想成素，並同時設法再現其足以重塑新觀念、新理論與新系統的主體性效應。

二 以人文為本的政治理想

　　本來，《莊子》一書自始便蘊藏著古代人文發展過程中所輾壓出的種種的意義軌跡，而《莊子》作為中國古典哲學的重要文本，它所涉及的人文思想以及由此所展開來的人文觀念、人文意義與人文理想，則顯然始終以「道」為核心為中軸。此外，《莊子》在承繼那尚未全然除魅的神話意識與象徵思維的同時，也透露出原初之理性雛形，甚至開啟了基源倫理的力道；而原初之理性與基源之倫理，二者其實同根而生，一本而發——此根即人文之根，此本即精神之本。

　　而人文發展與精神醒覺的歷程如長河一般淵遠而流長，以至於在培根的道德養成與固本的政治運作彼此協調進而相互契合的漫漫路途之中，人文的場域始終波瀾壯闊，而精神的意識於是沛然而生，綿綿不絕。其間，理性思維與倫理修為二者之間乃彷彿林間之鳥，自啼聲初試至於共鳴而交響；然而，也往往此起而彼落，時而激越，時而沉寂，嘈亂而無章。

　　確實，理性自有其認知之歷練，而倫理則另開實踐之向度；同時，理性思維迤邐如網絡般錯綜而複雜，而倫理修為竟似種種程式之操作節節而高昇，二者之間於是有了距離，甚至出現隔閡，而終於在背離原初以至於脫卸本根的流變趨勢中，不斷地出現個體與群體之間難以彌合的諸多難題。就在此一人文變局裡，作為人文壤土開拓之路徑與人文精神超升之動向的政治理念及其踐履之道，於是變成了哲人共同關切的核心的人文課題。

　　由此看來，中國古代政治思想與中國古代社會的人文展拓實乃同時俱進，而在春秋戰國如魔考般的政治現實錘煉之下，竟出現了突飛猛進之勢。對此一政治思想史與哲學思想史齊登高峰的輝煌，蕭公權曾如此予以論析：「蓋自孔子以師儒立教，諸子之說繼之以起。『至戰國而著述之事專』，持故成理之政治學說乃風起雲湧，蔚為大觀。」[1]並且探析中國政治思想在晚周大興的原因有二：一為社會組織之迅速變遷，一為偉大思想家之適生其會。[2]由此，蕭公權做了如下的結語：「苟無天資卓絕之思想家如孔、孟、莊、韓諸人適生此特殊之環境中，何能造成吾國學術史上此重要之『黃金時代』。故政治思想起於晚周，由於千載一時之機會。」[3]由此可見，「時勢造英雄」自是客觀之言；而「英雄造時勢」，則不僅不是虛言，而且在社會史、文化史、思想史與精神發展史齊頭並進的群體生命史中，更有源自於「主體性」與「主體際性」互相為用的歷程所積累所醞釀的真實的證言。

　　蕭公權於是為看似已然超然物外的莊子的政治思想，做了相當扼要的闡述。他認定莊子的政治理想為「無治」之理想，即為「泯義務，忘權利，實一絕對自由之境界」，而進一步斷言：「我不為君，君不立治，此莊子最後之理想也。」[4]而為證明上述之論點，蕭公權在《莊子》一書中所擷取的主要的證據是出自〈在宥〉篇的「在宥」之說，則確實是獨到之見。[5]

　　當然，由「無為之治」進於「無治」之至高之理想政治，實為莊子在老子倡言「聖人處無為之事，行不言之教」（《老子》第2章）以至於「為無為，則無不治」（《老子》第3章）的「道治」（聖人以道治天下）的理想之下，順理且應然地建立其人文之理想，並全方位地開發其生命之意蘊，所極力豁顯的超然而卓然挺立之境界；其間，莊子乃高舉足以和聖人相互媲美的「至人」、「神人」與「真人」的人格典範，而因此在以權力為

1　蕭公權：《中國政治思想史》上冊（臺北：聯經出版社，1982年），頁2。

2　同上注，頁2。

3　同上注，頁2。

4　同上注，頁188。

5　《莊子‧在宥》篇云「聞在宥天下，不聞治天下也。在之也者，恐天下之淫其性也。宥之也者，恐天下之遷其德也。天下不淫其性，不遷其德，有治天下者哉！」這分明是以「道思想」為核心意義的道家式的「為政以德」，而如此「德治」實乃以「自然」為法的「無為之治」，謂之「無治」，並無不妥。

核心的現實政治的一般思維及其實踐路徑之外，另行以精神超越之動向以及生命關懷之力道，為「政治」作為人間之事業、人道之作為與人文之活動，做了更具原初性、開放性與創造性的註腳。難怪論者如此斷言：「莊子的至人與真人這些理想人物是超越性與現實性統一的人」[6]由此看來，莊子的政治理想、人文理想、道德理想與生命價值之理想，四者終究彼此綜攝為一；其間，向上的超越之路以及向下的現實之路二者通貫為一坦坦之道，乃進而以此一生命理想之踐履及其體現之道，作為高明博厚的人文理想的意義所在。由此看來，至人與真人恰恰是撐持此一理想之人文世界於不墜不失不毀的中流砥柱。

三　古代中國有治道而無政道？

至於在《群書治要》裡的《莊子》，只選錄了〈胠篋〉、〈天地〉、〈天道〉、〈知北游〉、〈徐无鬼〉等五篇的部分內容，卻不見蕭公權心所獨鍾的〈在宥〉篇；不過，整體看來，《群書治要》所側重的《莊子》思想，顯然集中於這五篇文字所突出的「無為之治」、「帝王之德」與「太平之世」等政治理想，基本上與〈在宥〉篇祈求天下百姓「自在」（在）又「寬宥」（宥），而由此臻於天下太平的願景，並無二致。

在此，若吾人細究大唐盛世能臣魏徵等人所以錄製《群書治要》一書的用心所在，似乎可以理解：首先須「政道先於治道」而後纔能「治道支撐政道」，此一先驗與後驗並重的政治原則，乃理當是《群書治要》所以出現於政興治盛的時局與世代的緣由。

而政道以「帝王之德」為基石，如〈胠篋〉篇歷數遠古君王的同時，並描述了所謂的「至治」之世：「昔者容成氏、大庭氏、伯皇氏、中央氏、栗陸氏、驪畜氏、軒轅氏、赫胥氏、尊盧氏、祝融氏、伏戲氏、神農氏，當是之時，民結繩而用之，甘其食，美其服、樂其俗、安其居，鄰國相望，雞犬之音相聞，人至老死而不相往來。若此之時，則至治已。」其間，前後共十二位史籍未載的古代帝王，基本上都是《莊子》虛擬想像中的神話人物，而如此的「政治神話」，如此的「政治素人」，可以說都是最原初最素樸的典型人物，因為他們以及他們所置身其中的政治氛圍，幾乎都是非權威、去權威，甚至已然超權威的生命實存之境。由此觀之，如此之帝王之德實乃無為之德、自然之德，而「至治」亦即蕭公權所謂的「無治」，其中之核心意理則是任何「大有為」的政治的機制及其施作所能夠企及的。

顯然，由「至治」以至於「無治」的治道的實際踐履過程中，是幾乎已然卸除了所謂「王權」、「皇權」與「政權」的轉移與迢遞，而因此所謂的「政道」也就不會淪為名義之爭與口號之鬥。如此一來，「政道先於治道」的基本命題便將不辯自明，只因王權

6　付粉鴿：《自然與自由——莊子生命哲學研究》（北京：人民出版社，2010年），頁306。

以王道為礎石，而王道莫非正道，正道則是政道與治道之基石，則已然不容置疑。

當然，一句「王道莫非正道」，意義顯然過於籠統。在此，且以孔子之言略解「正道」之真實蘊涵：「政者，正也，子帥以正，孰敢不正？」（《論語‧顏淵》）由此可見，政道理當是正道，而唯帝王有正德而正其言，正其行，其為政之道纔能真正體現正道的真實意蘊，真正實現政道的理想，而也唯有通過此一理想的「人治」以至於「無治」，纔可能徹底消解權力之惡，以全般實現治理之善。如此一來，古代有道之君，其身其德，其言其行，其所作其所為，便將彷彿北辰之不動，而眾臣眾人如環列之星拱繞而行，這看似有規有矩，有理有則，卻是始終悠悠自在自行而不歇不止。因此，斷言此一古典之政治思維，實乃原始儒家與原始道家有志一同的共典共法，實不為過。

而此共典共法的意理根據，則在於古典的「普遍主義」（Universalism）的思維。在以「王道即正道」的至高原則為前提的政道理想照映之下，傳統政治的普遍主義往往同時具有超越性與圓融性，而相對地欠缺批判性與進步性。然由於「君臣共治」的治道已然充分發揮君臣之間有為有守的互為主體性，帝王之德與群臣之能二者於是互動互補，而終成就了治道的全般效力，為「有治道而無政道」的素樸而原初的政治理念，做了最佳的註解。當然，當代政治所追求的「相互原則」則須人人一方面從一己的視野出發，一方面又能擺脫個人視野的侷限，而彼此在「相互可接受的」（mutually acceptable）的理由的基礎之上，容忍異己並尊重一切的他者。[7]如此的現代民主思維，顯然和王道與正道所引領的無為之治以及由此所生發的形而上的政治思維，難以相提並論。

四　道家有「大一統」的觀念嗎？

在《老子》「法地、法天、法道、法自然」的意義脈絡展延的同時，以「無為」之精神防止政治權力運作背「道」而馳；同時，將人與天地和合為一整全之實有，而終歸「自然」之原初理境，從而素樸地將兼具政治之理想義與原理義的人文準繩，上轉為千古恆存之倫理大典與政治鴻章，如此，終能經久累世，不斷不絕，讓人間之美善真正地發揚光大。

顯然，在〈胠篋〉所言及的古代帝王眼裡，全然映現了老子「小國寡民」的太平之世，而在此清寂閒散的生活情境裡，人治即德治，德治即道治，道治即無治，其間幾乎無介無媒，了無間際。由此亦可見，在不落言詮也不假儀軌的相望又相忘的純然之情意流動之間，「政道」已然為虛，而「治道」亦不必為實，二者之間於是虛實相映，來往如織，甚至於渾然為一，全無二致。當然，這仍然是出乎天性的推想之論，不過，其已然接近渾然天成的自然之境，則似乎蘊涵著無窮的生命意趣。

7　錢永祥：〈主體如何面對他者：普遍主義的三種類型〉，《普遍與特殊的辯證：政治思想的深掘》（臺北：中央研究院人文社會科學研究中心，2012年），頁42-43。

　　因此，如果我們接著如此推論：「在君王無為而治、任之自然、回歸真樸的政治情境中，存在的只是治道，而無政道；也就是說，既遵行『正道』，則已然不必倡言『為政之道』，而雖有治理之實，卻已然無所治、無所理，是連『治道』都不須多所在意，多所著力，多所聲張。」似乎也有一些道理。

　　由此看來，魏徵等人之所以對《莊子》一書進行具「治其要」意趣的文本選錄，似乎隱藏著以《莊子》所蘊含的「政道」思想與「治道」思想二者之間的意理關聯性，作為一足以與儒家政治思想相互對照的「治其要」的另類政治思維的深沉用意，而當代對此一「政道」與「治道」之間並舉並行的意義張力的理解與關懷，則應屬牟宗三的研究最為突出。牟宗三曾如此地為《政道與治道》一書開宗明義：「政道是相應政權而言，治道是相應治權而言。中國在以前於治道，已進至最高的自覺境界，而政道則始終無辦法。因此，遂有人說，中國在以往只有治道而無政道，亦如只有吏治，而無政治。吏治相應治道而言，政治相應政道而言。」[8]此一獨到之見，則已然觸及「政道」與「治道」二者之間或分或合的相關的哲學課題；而為了闡發此一問題意識的真實蘊涵，牟宗三於是對「政道」與「治道」二者的基本意義，做了相當精要的界定：

> 政道者，簡單言之，即是關於政權的道理。無論封建貴族制度，或君主專制制度，政權皆在帝王。（夏商周曰王，秦漢以後曰帝。）而帝王之取得政權而為帝為王，其始是由德與力，其後之繼續則為世襲。吾人論以往之政道，即以開始之德與力及後繼之世襲兩義為中心而論之。[9]

> 政道是一架子，即維持政權與產生治權之憲法軌道，故是一「理性之體」，而治道則是一種運用，故是一「智慧之明」。有政道之治道是治道之客觀型態，無政道之治道是治道之主觀型態，即聖君賢相之形態。中國以前無政道，而於治道則言之甚透，且亦正因無政道，而其治道為聖君賢相之形態，故於治道已透至最高之境界，在自覺講習中已達至無以復加之極端微妙境界；此是順治道之主觀形態而同質地已發展至其極者。關此中國以前有三系統：一是儒家的德化的治道，二是道家的道化的治道，三是法家的物化的治道。[10]

顯然，在政道與治道之間，始終存在著相當程度的意義距離，而這也恰恰是政治理想與政治現實之間之所以無法全然契合的緣由。本來，所謂「政道」的蘊含乃自有其哲學意義的超驗之屬性，它的意義實在不容易揣定；而「治道」則與吾人置身其中的政治之機制、施作與活動息息交關，甚至相互連結。因此它的意義不容吾人任意揣測。例如在遠

8　牟宗三：《政道與治道》（臺北：臺灣學生書局，1991年），頁1。

9　同上注，頁1。

10　同上注，頁24-25。

古至高的皇權引領之下，搖指「天下一家」的「大一統」觀念作為「政道」的意理結構的基石，便其來有自，有其發展之實際歷程，而其攸關政道與治道的理路更迭，更是有跡可循。

然而，若就政治活動的軌跡以及其所延展開來的理路看來，政權與政道之間，或者自始便分道而揚鑣，或者終究可以殊途而同歸。究其實，政權與政道之所以分道以至於背道而馳，乃緣於政治之現實，而終導致理當普世而行的政道，竟往往依附於特定之政權，而終於喪失了自主之力與引領之功。當然，如果現實之政權能夠以謙卑之姿，順應政道的道德性及其所蘊含的理想性與未來性，則其本應居於下位下階，以符應以人文正道為本的政道之理想。如此一來，為政者便將大有機會大展其身手，而終可凌越於暗黑的現實政治之上，大放其兼具道德意義、理性意義與理想意義的人格光采。

其實，政權與政道之間之所以會出現斷裂的情況，而致使政治權力一再地撞擊政道理想，導致二者之間出現了不當的糾結與牽扯，終使得清明之治道變得混濁，而本當是賢相與能臣彷彿人體之股肱般的「功能理性」（理性之功能），竟如迷途羔羊無所適從，只因足以整合一切分殊與差異的「主體理性」（理性之主體）始終無法突圍而出，無法發揮其領導之智、統率之力及其胸懷一切並關照一切的至善之德；同時，也使負治權之責的吏治及其所應服膺的治道，難以發揮其輔佐、協調與配合的正向力道。由此看來，吏治實乃踐履治道的中堅，而政治之理想與政治之現實二者之間之所以無法全然契合，其緣由著實相當地複雜，其中，甚至暗藏著諸多之弔詭與危機。

而當今之世，單憑普世意義的共和與治平之理念，雖然理當足以拓開政道堂皇之路向，但是那些有著一定格局與特殊形態以至於有時而盡的政權，卻往往不得不向形而上的理境求援，而因此不斷地遊移於王道與天命（天德）之間，且試圖將王道與天命二者融合為一。如此一來，普天之下便極可能出現「天高皇帝遠」而因此近乎「無治」（無所為、無所作、無所治）的無政府狀態，難怪牟宗三斷言「政道近乎無」，讓吾人幾乎難以覓其具理想意義之朕兆，而吾人所見所聞、所感所受者，則幾乎全是具現實意義的「治道」如水銀瀉地般無時無處不在此一現實人間走動而不去。如此一來，具特定結構性意義的治道，便往往可能經由政治權力之運作，全般揮灑其實際之效應，以至於讓一切之人無所逃逸於特定政權宰制之外。

在此，在大體肯定牟宗三「中國在以往只有治道而無政道」的特殊論見的前提之下，我們顯然可以將「治道」的分殊意義與具體意義放入具有「合法性」（包括「合憲性」）的理想性的脈絡之中，以便避開那些無端將「政道」與「治道」予以裂解的二分思維所可能導致的理論陷阱——也許，如果說在道家眼裡，仍有其擬似儒者的「大一統」，其實指的就是無所為、無所施、無所作、無所治的「無治」的極致狀態。

由此看來，歷來政權與治權之間的紛擾與爭鬥，顯然可以經由政道與治道之間的和合一致、融洽無間，最終獲致徹底消解與平息的機會；而道家既高標「無所為」、「無所

治」的「道治」(「無治」)的理念與理想,作為其超乎政治現實之限制與窒礙之精神動能,於是道家之政治思維自始便不以儒家聖君與賢相共治共理以達「大一統」的治平之境為其政治實踐之標的。也就是說,老子與莊子儼然在政治實然運作之種種模式之外,另行設想出一個已然超越權力性思維與功利性行動的美好人間,其中,人文與自然幾乎全然融合,彷彿天地之間原本就「保合太和」一般,在無為無治且和合無間的互為主體的真實體證過程之中,吾人之心靈廣袤與精神底蘊於是能夠相應相容相和,而終可上達於飽含生命真實意義之理境。如此一來,或許可以說老子與莊子仍然有其道家型態的「大一統」,則其足以徹底掃蕩政治現實之策略性、技術性、效用姓以及諸多口號、標誌、名銜、位階與身分彼此糾結而來的意識形態與行動方案,實已昭然若揭。

顯然,「大一統」作為一至高的政治理想,其實本就充滿人文之意義與價值,它甚至還可能催生一種特殊的「永恆性真理」的奧義。除了儒家所高舉的「大中至正」的理想可以與「大一統」的理想性意義相互映照之外,在當代西方人文脈動裡,也有蘊涵「永恆性」意趣的哲學思維,如博藍尼(Michael Polanyi)所言:「作為人類,我們不像其他動物,我們似乎需要有一個指歸於永恆的目的。真理當然指歸永恆,我們其他的理想亦然。我們產了充塞天地的價值,而這些價值造就了我們生命的文化層次。」[11]因此,「大一統」理當是一種「永恆性的真理」,它也同時蘊含著永恆的價值;而君民一體、人我共存,則只是為了達成「無君」(因無為而治而終無其君)、「無治」(因自治自理而終無其治)的理想,而此一理想自有其極為豐富的文化性與創造性。由此看來,吾人顯然須嚴格地辨明「大一統」的現實意義及其理想意義之間的鉅大差異,更不容任一具專制性與獨裁性之思維與權力無端竊取所謂「大一統」的發言之權。由此看來,所謂「大一統」,實無所謂「大」者,也無所謂「統」者,只因真理永恆之理與價值普在之義,實繫於生命一體共存恆存的理想自始便映照於天地之間,如魚之得水,如人之得道,其實無所得,無所為,無所謂,無所作,無所統,因一切總歸於道,總歸於恆存的真理、永在的價值以及無時無處不現身的真真實實的生命。

五 「治道」如何能上達於「道治」?

原來,「政道」與「治道」各自蘊含著現象性的實然意義以及本質性的應然意義,而在實然現象與應然本質之間,本來就極可能出現「天下無道」與「天下有道」的對應之局與對反之勢。《群書治要‧莊子》在〈胠篋〉篇之後,接著便節錄了〈天地〉篇的一小段文字,其中,莊子假託古隱者「封人」之言,以對比儒家所推崇的帝君──堯,而吐露出「天下無道」與「天下有道」二分而對比對反的思維:「天下有道,則與物皆

---

11 奧地利‧博藍尼(Michael Polanyi)、浦洛施(Harry Prosch)著,彭淮棟譯:《意義》(Meaning)(臺北:聯經出版公司,1984年),頁259。

昌；天下無道，則修德就閒；千歲厭世，去而上僊；乘彼白雲，至於帝鄉；三患莫至，身常無殃，則何辱之有！」（《莊子‧天地》）由此看來，「天下有道」是「道治」的根本之因，也同時是「道治」的理想之果，如此因果循環，以至於彼此相應相連，幾乎就是圓善至善之德賅體全用的徹底踐履，而若說這是善性的循環、德性的圓成以及人性全向度的體現，也不是誇口之辭。因此，如果吾人能夠理解「治道」與「道治」實乃一脈相承、一體完成，那麼，兀自斷言「天下無道」，便將可能只是一種莫名的憂傷、一種無謂的恐懼，甚至只是一種不知來由的斷裂性思考、一種無所適從的情緒。當然，上述所言，也許只是一種揣測、一種感慨、一種詩歌般的想像。不過，由「天下無道」到「天下有道」，卻也可能是一條具有理性意趣與實踐效力的精神的康莊大道。

由此一具有理想色彩的意義判準，一般的歷史觀察者乃建構出具普世意義的分合更迭與治亂循環的人文發展路向；而其看似無涉「進步」作為一實質價值的客觀律則，也終究與政道、治道二者之間的意義聯結難以相應，卻反倒與現實存在之政權與治權的距離越拉越近，如牟宗三論及「革命」時曾如此分析：「是以革命一義即示政權之取得惟在德與力之打，而政權亦即寄託在個人或氏族部落之德與力之上。政權是具體的個人或氏族部落。除此之外，別無所謂政權。政權既寄託在具體之個人或氏族部落上，則即不能有客觀合法之軌道以產生作為元首之帝王。」[12]在此，所謂「客觀合法之軌道」即是足以催生合法政權的所謂「政道」，而此一「政道」也自是孔子「為政以德」的整體性的呈現。

而關於治權與治道之間的意義聯結，牟宗三則另做了如下的論析：「若政權與治權合，政權之取得惟是靠著打，惟寄託在具體之個人或氏族部落上，則相應政權無政道，相應治權有治道，而治道不能客觀化。」[13]而對此一幾乎直接涉及「天下無道」與「天下有道」二者對應對反的政治局勢的關鍵性分判，牟宗三認為「有道」者必當「蓄德儲力」以取得足以讓政權與治權二者相合的合法性，而「無道」者「只有打」，如此一來，便無法在政權與治權分離的狀態下，取得真正的政權，而也就無「正道」或「政道」可言。[14]

相對於儒家的觀點以及其所延伸出來的政治詮釋系脈，道家顯然是以抽離而超然的態度，來看待以權力意識與法政制度為核心的政治現實。從《莊子》揭露「堯讓天下於許由」的禪讓之德，以至於讚歎「昔堯治天下，不賞而民勸，不罰而民畏」（《莊子‧天地》）的無為之治，實際上是聖人之主體心境及其所一心嚮往的形上理境二者相互對映的美好寫照；而「堯治天下」的美好光景顯然在賞善罰惡的政法制度建立之後便逐漸退去：「今子賞罰而民且不仁，德自此衰，刑自此立，後世之亂，自此使矣！」（《莊子‧

---

12 同注11，頁4。

13 同上注，頁4。

14 同上注，頁5。

天地》）如此由「治道」理念徹徹底底的實踐，至於「道治」理想完完全全的體現，恰恰為《老子》：「失道而後德，失德而後仁，失仁而後義，失義而後禮，夫禮者忠信之薄而亂之首。」（《老子》第三十八章），做了兼具實然性與應然性的印證，並且彷彿隱隱然再追加了底下這一句：「失禮而後法，夫法者德行之衰而民難治矣！」而此一向前延伸、向外展拓之推想，理當不是無稽之辭。

由此可見，道家對「治道」的關注似乎遠遠超過對「政道」的用心。因此，斷言道家人物設想「無為之治」的理想之治道，也當自有其化解一切政權假「正道」與「政道」之名義，以遂行其妄用權力之陰謀。牟宗三曾如此定義「政道」：「正道者政治上相應政權之為形式的實有，而使其真成為一集團所共同地有之或總持地有之之『道』也。」[15] 著實用心良苦，而道家理想中的政治實存狀態已然摒棄政權實質之結構，也恰恰是為了消解了統治者集團性之組合以及政治權力的集中運用。如此一來，在「道治」的理想狀態逐步顯豁的歷程之中，「政道」為某一政權「護法」或「立憲」的名義及其實質之作用，似乎便越來越可能失去其應有的效用性、必需性與急迫性。

六 「君臣共治」的「公天下」

此外，《群書治要》裡的《莊子》文本，在節錄了〈胠篋〉、〈天地〉篇之後，出現了〈天道〉篇突出「帝王之德」的這一段文字：「夫帝王之德，以天地為宗，以道德為主，以無為為常。無為也，則用天下而有餘；有為也，則為天下用而不足。故古之人貴夫無為也。上無為也，下亦無為也，是下與上同德，下與上同德則不臣；下有為也，是上與下同道，下與上同道則不主。上必無為而用天下，下必有為而為天下用，此不易之道也。」如此君上臣下。上下之間各有其職分而有別，而君臣之間則一尊一卑而有序。基本上，君無為而臣有為，而無為之君法地，法天，法道，而終究無為，順乎自然，故云：「帝王之德配天地」（《莊子・天道》）。如此，以無為之君為本，以有為之臣為末，於是歸結而言：「本在於上，末在於下，要在於主，詳在於臣。」（《莊子・天道》）如此上下一體，本末一貫，一方面履踐了「無為而無不為」的治道，一方面則落實了「君臣共治」的開明理念，而透露出魏徵等能臣一心一意奉主事主，君臣和合，相安無事以共治天下的苦心孤詣。[16]

---

15 同上注，頁21。

16 論者將《群書治要》此一政治理念，對比於《貞觀政要》所暢言的治道與治術，以闡明「君臣之義」；並進一步認為「君臣共治」確實足以轉「家天下」之私為「公天下」之至公無私，而先決條件是君臣皆須以公心對待天下之事，同時以無私之情善待天下之人；唯有如此，纔能臻於「君臣共治」的良善境界。以上請參閱林朝成：〈無為於視事，有為於用臣——論《群書治要・莊子》中「聖人」觀之流行〉，《第一屆《群書治要》國際學術研討會論文集》（臺北：萬卷樓圖書公司，2020年），頁348-352。

　　然而，期盼君臣同心以共治家國，其實並非易事；此外，若就君臣各是一具足意向性的主體而言，所謂「君臣同心」甚至「君臣一心」，更可能只是一種無法實現的政治大夢。不過，在《群書治要‧莊子》的文本裡，則在「天地」與「自然」二者和合一致的理想背景以及相應的意理場域之中，則對帝王之德與聖人之教，做了幾乎等同位階的論述，如〈天道〉篇裡借大舜之口，倡言「治道」合「天地之德」與「自然之理」，便有如下之斷言：「天德而出寧，日月照而四時行，若晝夜之有經，雲行而雨施矣」，隨後，緊接著便是如此的結論：「故古之王天下者，奚為哉？天地而已矣！」。

　　至於聖人或至人之人文教化之所以能夠與「王天下」的帝王齊肩而行，則是因為聖人以無心無為之理行其不言不令之教，恰恰應和著天地與自然，如〈知北游〉云：「至人無為，大聖不作，觀於天地之謂也」，而這分明是把養正德而成之「聖」與居正位之「王」二者相提並論，同時將治道合於天道，而政權與政道於是可以在天下平治之道的軌轍之上，獲得整全而完備的安頓。

　　而所謂「治道合於天道」，並非客觀地說。因此，如果將莊子的政治觀（政治哲學）放入倫理學與實踐哲學的意理範疇，似乎並無不可。當然，簡單地以「自然主義」一辭，來界定莊子政治哲學的核心意涵及其基本屬性，是仍然可能滋生歧義；而無論政道之強調政體的正當性，或是治道之側重治理的功能性，從莊子的哲學向度來作觀察，政體的正當性與治理的功能性實為不可割離、不能斷裂的一貫之道與通達之理，而此一貫之道與通達之理即是融「自然」與「無為」為一的「道化的治道」，而有別於儒家之「德化的治道」。[17]究其實，「道化」自是涵覆著具普世性（以「天地自然」為實質之界域）的「德化」，而儒家之「德化」又如何能自外於「極高明而道中庸，致廣大而盡精微」，而終歸於合天地自然與人文教化為一體的一以貫之之道？

　　由此看來，「公天下」之理想，顯然已由「德化」進於「道化」，而「無私」正所以「成其私」，其實以「道」之以「有」與「無」為其雙重性，作為「道在人間」的實踐之道。[18]由此，乃可循「無」之道以通達一切之有，而包容一切之差異與分殊，並同時經「有」之途，以回歸一切之本根與源頭，而終能平息一切之敵對與紛爭。如此一來，聖人何必多言？而王者又何能居功？一切功德盡歸天下之人，而終在「公天下」的理想光照之下，共同棄絕一切之黯黑與腐敗，由此觀之，君臣共治實無所治，而一切之權力運作又豈能不銷聲匿跡？

---

17 牟宗三論及道家的治道，較強調「道」的作用面及其境界意義。而他以「道化的治道」涵蓋道家治道的整個意義範域，顯然是為了對比於儒家的德化觀。至於他以〈齊物論〉的平等一體之境──「無物不然，無物不可」的「天地氣象」，終究是以他所拈出的「道化人格的圓滿自足之絕對與無限」，則已然是飽含人文義趣的形上學，其中的超越精神乃由上而下並自外而內地向一體無殊（兼具同一性與殊異性）的境界展拓開來。以上請參閱牟宗三《政道道與治道》，頁34。

18 牟宗三：《中國哲學十九講》（臺北：臺灣學生書局，1983年），頁135。

簡言之,「政」為「治」之體,而「治」為「政」之用;而就本質之意義而言,二者本不應割離,也無從裂解;而後來所以出現政道與治道二分甚至於對反而有衝突的政治現實格局,於是將素樸淳實的人間情態歸入於遠古之政治神話,而「小國寡民」的真實存在便逐漸淪為一種政治想像,然而,其中仍然始終存在著理想國度之藍圖──基本上,是集人文性、社會性、政治性以及順歷史發展而來的互為主體的意識活動與精神作為為一複雜之結構,所不斷生發出來的人文想像。

不過,在盛唐時期,通過君臣共治之政治實體,以實現兼具儒家的德治、德化與道家的道治、道化的政治理想,一方面,實在情有可原,它甚至是當時掌握政治權力的統治者(特別是已然具有相當功能與效率的官僚集團)的共同心態;另一方面,其高標道家「自適」、「自化」、「自在」、「自得」而終歸於「道法自然」之理想,作為君王之鑑,似乎不言可喻;而若說這是以開明、公正、均平而普及的實際的治道之作為,來制衡來監察可能流於極端意識形態而因此空泛不實的政道之思維,似乎也不無道理。

七 帝王之德的「政道」義與「治道」義

如今,所謂「法治」,本是政治活動的核心規範,而在以民主為基礎的政治實踐歷程中,「依法而行」與「順應民意」顯然不是不相干的兩回事;然而,到底要依甚麼「法」,順甚麼「民」,又究竟該如何使此一政治規範不至於淪為欠缺真實效力的空泛之,可就要大費周章,而這甚至是政治素養、政治能力與政治智慧必須聯手合作的大事,實在不能掉以輕心。在此,就讓我們回顧兩千多年前,在民心較為厚實而國情也相對單純的時代,老子憂心「法令滋彰,盜賊多有」(《老子》第五十七章),應是一種深謀遠慮,實際上的情況也許不會太嚴重,當然這仍只是「揣其情」,而非「究其實」;而如果我們站上精神人格的高度來觀察,並且堅守道德倫理的律則來考究,那麼一心冀求君臣「依法行政」以落實政治之理念,便很可能是一具有延續性與展延性的政治思維,甚至是一具有豐富想像力以及強而有力的期待心理的政治關懷。

然而,君臣以至於人民,既以邦國為立法、依法並守法的疆域,那麼法政與法治所必須具備的公共性、普及性與有效性,便不能不尋求政道的支撐與護持,以合理而有效地運用權力,並且必須通過治道的實際作為,以使「依法行政」(法政)的理則,終究可以在民心與民意的基礎之上,經由君、臣、民三者之同心與協力,而終實現「民為邦本,本固邦寧」的政治理想。

而若以此一古典型態的「民本」或「人本」之政治理念為軸心,將「依法」之施作與行動,上轉至「循道」、「行道」至於「體道」之境界,並且同時將「行政」之大有為,提昇為「修德立教」的人文之陶養與生命之培成,那麼道家之所以以無為自然之精

神，推擴其清靜、素樸、淳厚之治道，便自有其特殊之奧義。[19]而道家所嚮往的政治理想之境，當是一超然物外、悠然自在的人文勝境，而這甚至可以說是意趣淋漓、瑰奇富麗的家國想像。因此，說老子與莊子別開生面地為中國古代的政治願景，開了一道大門，拓了一條大路，直直通向那足以和真實人性、純淨人心相映成趣的「無何有之鄉」，似乎一點也不為過。

由此推知，莊子顯然對世上特定之統治機制與權力結構（此即所謂「政權」實質之存在），並未付予足夠的關注，而因而有其特定意義之「政道」思維。一般而言，政道之設想與理想須對應政權之存在，方有其真實而有效之意義。不過，莊子卻自有其相當於儒者嚮往「政道」理想之關懷，因此，他儼然在老子「道大，天大，地大，王亦大」（《老子》第二十五章）的「四大」的實存意義的基礎之上，融德化之治與道化之治為「無為無作」之治，同時，洽合一人之君權所必依循之政道，以及眾人之官職所當遵行之治道，終成為「自治自然」之道──由自然之道而有自治之願與自理之力，也唯有自治自理者能符應天地自然之道。如此一來，終於有「聖王」（「內聖」與「外王」之合體）之型範凌空而來，自天而降，而讓後世之人無限嚮往，無比尊崇。

《群書治要‧莊子》選輯〈徐无鬼〉篇裡的這段文字為壓卷之文，或許便是在「聖王」的理想典範引領之下的一種推想：

> 黃帝將見大隗乎具茨之山，方明為御，昌寓驂乘，張若、熠明前馬，昆閽、滑稽後車。至襄城之野，七聖皆迷，無所問涂。適遇牧馬童子，問涂焉，曰：「若知具茨之山乎？」曰「然。」曰：「知大隗之存乎？」曰：「然。」黃帝曰：「異哉小童！非徒知具茨知山，又知大隗所存。請問為天下。」小童曰：「夫為天下者，亦何以異乎牧馬者哉？亦去其害馬者而已矣。」黃帝再拜稽首，稱天師而退。

此一寓言實飽含特殊之意趣，兼具「內聖」之德與「外王」之政如黃帝之君，竟然仍須「問道」於小小牧童，這分明是足以反轉世俗之見的詭譎之辭；而以牧馬之道比擬於治國之道，則透露出攸關人文與自然二者當如何和合為一的深義與奧義──治國既如牧馬般，人民又如何能由充滿野性之馬變成溫馴之馬？而如此治國之道又是否合乎自然無為之道？其間，顯然問題重重，難題實不一而足，而其中最具關鍵性與核心意義的難題或許便是底下這個問題：「吾人究竟如何以『無為』之精神與態度，消解一切之『有為』之算計、籌謀與造作，而終回返真實、質樸、清淨、安謐、自由、自得、自如、自在、

---

19 牟宗三認為道家自有其以「道化」為核心的治道，而此一政治關懷顯然異於儒家對政權與政道相關之問題的嚮往與關切，縱然他認為由德化的治道轉出「政道」來，實非易事。不過，牟宗三仍然在相當程度上，同時肯定儒家與道家的治道思想，因此，他做了如下的判定：「道化的治道與德化的治道，自今日觀之，實不是普通所謂政治的意義，而是超政治的教化意義，若說是政治，亦是高級的政治。」以上請參閱牟宗三：《政道與治道》，頁37。

自然而本然之理境與情境？」

　　由此看來，老子「以正治國，以奇用兵，以無事取天下」（《老子》第五十七章）的理念，顯然可以經由《莊子・天道》所揭示的「帝王之德」，充類至極地予以體現，而「帝王之德」真實之屬性即如《群書治要・莊子》所錄〈天道〉篇云：「夫帝王之德，以天地為宗，以道德為主，以無為為常。無為也，則用天下而有餘；有為也，則為天下而不足。」而人間帝王實際上並無法全無作為，故其所作所為難免落入「有為」的意理層次，牧馬小童所指點的「去其害馬」（盡除一切有害於馬之天性之人為之事），似乎仍然是「有為」層次的動作。不過，「無為」乃究竟之論、至極『之言與通透之說，其終究可能全然化解一切的「有為」之患以及一切的「造作」之災，實為一終極之嚮往、圓滿之盼望，甚至已然是至真至善至美之理想境界。

　　由此而論，牧馬小童縱然被讚為「天師」，他也仍得在人間從事「牧馬」之有為之事，如同黃帝貴為天下共主，是仍得付全副心血於「治天下」的治理之務；祇是「自然無為」之道，當始終是「帝王之德」至高無上的治理準則，也自是帝王「允執厥中」的在指南針，只因此道此理、此意此義，理當是人間帝王終極之嚮往、圓滿之盼望、至真至善至美之理想境界。

　　因此，若說帝王之德兼攝「政道」之義與「治道」之義，似乎也不為過。孔子宣揚「為政以德」，側重的是「政道」義，然而，「為政以德」之道，卻終究可以同時是一理想義的治道；至於道家倡言「無為之治」，所側重的則是「治道」義，而因此認定在「無為而無不為」的理想的治理狀態之中，一切之人為施設與造作，都已然入於無所對、無所治、無所理、無所施、無所作、無所號令的「無治」之境界。《莊子・人間世》言「心齋」之「虛而待物」，即旨在具體示現那一心嚮往無所對、無所治、無所理、無所施、無所作、無所號令的「無治」之境界的超然之精神，只因虛己則能容物，故理想之君，理當跡近「虛位之君」，而治世之能臣，則身居實質之位，當盡實權之責。如此虛實相應，名實相符，君臣共治共理，天下之人乃能共存共在共榮。或許，如此之理想、如此之境界，便是魏徵等「治世之能臣」深心之所盼望；或許，這也當是後世一切無法忘懷於政治活動卻也不願寄望於權力操控者不能棄之如敝屣的永恆之理想——它或許就是一切為政者所不能丟失的初心、本心。

八　結語

　　綜觀《群書治要・莊子》共五篇的文本內涵，儼然有借《莊子》之文字，以進行一饒具意趣的諫言的用心。從〈胠篋〉篇首揭遠古理想之世，其中，古聖與先民自得而兩忘，直如《莊子・馬蹄》篇所言：「彼民有常性，織而衣，耕而食，是謂同德；一而不黨，命曰天放。」所謂「常性」不違自然之性，而此「自然」並非一味地滯於「野蠻」

的不開化狀態，因「天放之民」在任應自然、天真無邪的根基之上，不妨有修有為，能文能武。接著，〈天地〉於是以堯帝之治天下為典範，宣達其超然於不為禮法之形式律則所拘束的開放思考與開放心靈。由此，乃以較大篇幅的〈天道〉篇，顯豁「帝王之德」作為普天遍地般的政治理型的真實意義，而隱隱然提示主政者理當將政道還諸天地，同時也須把治道回歸人民，由此而對應於〈知北游〉之「聖人」典範。然而，在君主無為而眾臣有為的權力關係可能趨於緊張的過程中，難免亦正亦邪，或善或惡。因此，為了守住政治之中道，為了護持人文之理想，更為了實現生活與生命共有共享之良善，於是最後經由〈徐无鬼〉篇，請出後於堯舜的黃帝，讓他迂尊降貴，不恥下問，竟然尊牧馬童子為「天師」（以自然為師），只因他指明治天下之道如牧馬一般，則似乎可能落入治道之有為與律法之能事二者之間如何兩全的權宜與算計，這一方面顯然流露出為臣之人縝密之心思，另一方面，則或許是一種向君主表忠效忠的精明之思，其與戰國中晚期道家與法家、刑名之學合流的趨勢，似乎有些許可以相互比擬之處。

　　總結而言，自古政治之為一鉅大現實，乃始終以人文為根基，而政道與治道二者之間，則往往在對反與調和的過程中游移不定。如此一來，在儒家高唱其修齊治平之理念之外，古中國文明的疆域之內，隱隱然有另一種聲音如野地篝火一般，自人間之暗處冉冉而升，道家型態的「天下定於一」的「一統江山」，成為一種隱性政治思維的核心，似乎已然無庸置疑。此外，斷言治道之臻於「道治」之良善之境，也不會是無稽之談。當然，主張「君臣共治」，權責要相當，名實須相符，以實現「天下為公」的理想，就不該是儒者可以一己專擅的思想紅利。看來，在人文昌明之際，道家當然無法置身事外，也不應兀自優游於世外之桃源。至少，道家人物是不應無端放棄自由自主的發言之權，而竟丟捨參與政治之機會吧！

　　顯然，在天地自然無窮無盡的實存脈絡裡，一切之人為造作以至於一切之人文化成，終將化入於無為無形無名之境。因此，在不言之教、無為之德以及無所號令、無所轄治之政，三者合而為一的理想之境地裡，「政」之為名、或「治」之為實，甚至「政治」之為一具體之存在，似乎已然不足道也，吾人又何必夸夸其言地奢談「為政之道」或堂而皇之之「政道」？或許，「無為之治」之理想效力已然可以把任何以權力為工具且假借「政道」之名遂行其寄生於既定結構之任一政權，全然解消於一逕回返自然無為的理想之治道之上。至此，任何依靠「政治」之體制而有的策略、計謀、作為與活動，以及隨之而起的思維、論述、律法以及種種意識形態乃理當嘎然而止。

徵引文獻

一　徵引文獻

唐・魏　徵等撰：《群書治要》，北京：中華書局，1985年。

清・郭慶藩編：《莊子集釋》，臺北：萬卷樓圖書公司，1993年。

唐・吳　競：《貞觀政要》，臺北：國立臺灣師範大學出版中心，2012年。

魏・王　弼：《老子王弼注》，臺北：河洛圖書公司，1974年。

二　近人著作

蕭公權：《中國政治思想史》上冊，臺北：聯經出版社，1982年。

牟宗三：《政道與治道》，臺北：臺灣學生書局，1991年。

林朝成、張瑞麟主編：《第一屆《群書治要》國際學術研討會論文集》，臺北：萬卷樓圖書公司，2020年。

付粉鴿：《自然與自由——莊子生命哲學研究》，北京：人民出版社，2010年。

錢永祥主編：《普遍與特殊的辯證：政治思想的深掘》，臺北：中央研究院人文社會科學研究中心，2012年。

奧地利・博藍尼（Michael Polanyi）、浦洛施（Harry Prosch）著，彭淮棟譯：《意義》（Meaning），臺北：聯經出版公司，1984年。

牟宗三：《中國哲學十九講》，臺北：臺灣學生書局，1983年。

《莊子》中的當解而難解
——兼論其中含蘊的實踐悖論

林明照

國立臺灣大學哲學系教授

摘要

　　本文嘗試探討《莊子》中論及個人生命困境應當超越卻又難以超越的狀況，本文稱之為當解而難解。這狀況中蘊含了《莊子》對於價值實踐的反思，特別是關於實踐行動上的限制，以及實踐行動中蘊含的悖論。本文認為，探討《莊子》中關於當解而難解的意義及內在脈絡，將有助於理解《莊子》對於實踐行動的深刻思考，同時也能理解《莊子》對於善、惡的思考。

關鍵詞：莊子、天刑、實踐悖論、善、惡

The theme of "It should be solved but is difficult to solve" In *Zhuangzi*, and the Meaning of the Practical Paradox It Implies

Lin, Ming-Chao

Professor, Department of Philosophy, National Taiwan University

Abstract

This paper attempts to explore the situation in *Zhuangzi* in which individuals should transcend life difficulties but cannot overcome them. This paper calls it the situation that should be relieved but is difficult to relieve. This situation contains the reflection of *Zhuangzi* on value practice, especially the limitations on practical action and the paradoxes contained in practical action. This paper believes that exploring the meaning and inner context of *Zhuangz* about the things that should be relieved but are difficult to be relieved will help to understand Zhuangzi's profound thinking on practical action, and at the same time, we can also understand Zhuangzi's thinking on good and evil.

Keywords: Zhuangzi, Punishment from Heaven, Paradox in practice, Good, Evil

一　前言

　　《莊子》中多處提及價值理想的難以實踐，以及生命困境的不易解除，也就是當行而難行，或當解而難解。這主要是指，對於價值上可欲的或應當實踐的，或是價值上不可欲或應當避免的，卻難以實踐或避免。《莊子》一書作為生命實踐的反思與引導之作，在提出實踐轉化的理想中，也著實地面向了實踐層面的困難及侷限，這之中涉及個人及社會在實踐中的根本困境，前者包含個人解悟的困難，以及由之導致的實踐困境與悖論；後者則包括社會轉化的艱難，以及人在社會與時代中的困境等。對於此價值與實踐上的張力，本文稱之為當解而難解的困局。本文嘗試探討此困境，特別是個人實踐面向的困境，在《莊子》中的特質及意義，以及其中含蘊的實踐悖論面向，。以下本文會先從《莊子》中所提及的「大惑」與「至愚」討論起，再針對「天刑」進行探討，以展現《莊子》所論及的當解而難解的意涵，並間接討論與之密切相關的實踐悖論的意義。

二　大惑、至愚與實踐悖論

　　〈漁父〉中有一段文字提及了孔子之「難悟」，其從旁人的角度批評孔子，與〈德充符〉的「天刑」相似。而對於愚惑而言，「難悟」雖不到「天刑」之「安可解」的程度，但已極為接近，因此值得加以討論。這段文字是這麼說的：

> 孔子愀然而歎，再拜而起曰：「丘再逐於魯，削跡於衛，伐樹於宋，圍於陳、蔡。丘不知所失，而離此四謗者何也？」客悽然變容曰：「甚矣子之難悟也！人有畏影惡跡而去之走者，舉足愈數而跡愈多，走愈疾而影不離身，自以為尚遲，疾走不休，絕力而死。不知處陰以休影，處靜以息跡，愚亦甚矣！子審仁義之間，察同異之際，觀動靜之變，適受與之度，理好惡之情，和喜怒之節，而幾於不免矣。謹修而身，慎守其真，還以物與人，則無所累矣。今不修之身而求之人，不亦外乎！」（〈漁父〉）

這裡從「客」之旁人立場批評孔子：「甚矣！子之難悟」，而對於孔子之「難悟」，文中以形影相隨喻之：有人厭惡自身的影子及足跡，因此快步捨離；然而，雖行走加快，影子和足跡卻仍是緊隨不放，於是此人再加緊腳步行走，最終精疲力竭而死。此人不知要擺脫影子及腳印最根本的方法並不是加快奔走，而是停留於樹蔭之下，如此影子及腳印自然消失。這例子似乎以「畏影惡跡而去之走」隱喻孔子一生的實踐動機與目的，影與跡可以指向孔子所厭惡而竭力去除的人生及社會種種罪惡或負面事物；而逃離與快步走，則是其實踐的途徑及方法。寓言中的人疾走而不休，影子及足跡卻始終如影隨行，如同孔子竭盡生命之力周遊天下以化惡為善，但是其作法不但未能去惡成善，反而讓惡

更緊隨不離。換言之，孔子的努力不但不是解決世界苦難與罪惡的方法，反而是招致苦難與罪惡的來源。因此，一方面，孔子的形影競走背後，是「畏影惡跡」之為天下去除幽暗罪惡的良善動機；另一方面，如果孔子無法發覺此中實踐與罪惡的悖論關係，則他的努力與罪惡之間的相隨或共構關係，便永遠無法解除。依此良善動機加上未能把握根本去除立善卻引惡的實踐悖論，或許就是寓言中孔子的愚惑之所以終身難悟，甚至一生難解之處。具體而言，此處所謂的「實踐悖論」是指，在實踐行為中，於善的脈絡中卻含蘊著惡性，或最終衍生出惡的結果。這裡所謂的善、惡不純然就道德面向而言，善可以指向一切良善、幸福的面向；而惡可以指向一切的苦難與悲痛。[1]

進一步而言，孔子的難悟之處，其實也就是其所以陷入「舉足愈數而跡愈多，走愈疾而影不離身」的立善卻引惡的實踐悖論之原因。這從上引〈漁父〉這一段文字即可看出：「子審仁義之間，察同異之際，觀動靜之變，適受與之度，理好惡之情，和喜怒之節，而幾於不免矣」所謂「審」、「察」、「觀」、「適」、「理」與「和」，都具有向外觀察、審視對象，並介入與調節之意。換言之，審視與介入的對象通常是他人而不包含自己。同樣地，在有關過錯與罪惡上，其來源以及解決之處也在他人而非自身。這種向外介入與引導而缺乏反身性的自視或內觀，正是所以陷入立善卻引惡的實踐悖論，以及終身難悟的原因。

就實踐悖論來說，在「畏影惡跡而去之走者」的隱喻中，奔走的人心中欲逃離影子與足跡，這正是向外的審視，且具特定對象的解決問題方式；而其所缺乏的，正是返回自身的反觀性：看到自身的身體以及行走，方是影與跡的根源，因此，了解到捨離影與跡的關鍵，在於自身的隱藏與止步。而這正隱喻了，如果孔子不能返回到自身的省視與內觀生命之真，則其建立在審視別人以及介入與調節事務秩序上的作為，不但不會帶來預期的善，反而自身的作為便是惡的來源。而由於未能反視自身，便也不容易看見自身陷入此悖謬的狀態中，此亦即「難悟」之處。這也是引文所提及的「今不修之身而求之人，不亦外乎」，而強調「謹修而身，慎守其真，還以物與人，則無所累矣」的原因。

有趣的是，郭象在注解〈德充符〉孔子之遭受「天刑」且不可解，雖然是從正面的角度來詮釋天刑，但其所用的例子卻是形影相隨。郭象以影之隨形，比喻孔子雖在聖境，但仍無法免除世人之毀譽。前者為「形」，後者為「影」。而此處喻孔子難悟的影之逐形，「形」是孔子的實踐方法，包含行動及信念等；「影」則是人生的苦難及險境。

從「畏影惡跡」此寓言來看，根本的解決方法乃是「處陰以休影」及「處靜以息跡」，就是避開陽光與行走這兩個造成陰影與足跡的源頭。從孔子的實踐層面而言，「處

---

1 蒙審查人提醒，此處可再斟酌「實踐悖論」的說法是否合適。就本文而言，實踐中的「悖論」，是指一個實踐行為既在善的脈絡，又在惡的脈絡。具體意義為，被賦予善性的動機或行為脈絡，卻同時具有惡性於其中。由於行為或實踐中同時既善且惡，因此，乃具有「悖論」的性質。

陰以休影」及「處靜以息跡」應當隱喻「謹修而身，慎守其真，還以物與人」。其中，「守其真」的「真」之一項重要意涵即聯繫到「功成之美，無一其跡」的意義上，也就是「飲酒以樂為主，處喪以哀為主，事親以適為主」所意謂的，一旦以內在的情感回應為基礎，則行為不需執守特定的形式。

　　歸結而言，〈漁父〉中言孔子之「難悟」，亦即其當解而難解，在於其深陷在雖有良善的動機，且竭盡生命之力實踐成善天下的理想，但卻缺乏反身內省，同時面向自身的生命之真，僅以特定的價值模式來審視、介入人世。

　　缺乏回溯自身，面向自身生命之真而形成的終身難悟，〈天地〉篇言及「終身不解」之「大惑」時，亦涉及此。其言：

> 孝子不諛其親，忠臣不諂其君，臣子之盛也。親之所言而然，所行而善，則世俗謂之不肖子；君之所言而然，所行而善，則世俗謂之不肖臣。而未知此其必然邪！世俗之所謂然而然之，所謂善而善之，則不謂之道諛之人也。然則俗固嚴於親而尊於君邪！謂己道人，則勃然作色；謂己諛人，則怫然作色。而終身道人也，終身諛人也，合譬飾辭聚眾也，是始終本末不相坐。垂衣裳，設采色，動容貌，以媚一世，而不自謂道諛，與夫人之為徒，通是非，而不自謂眾人，愚之至也。知其愚者，非大愚也；知其惑者，非大惑也。大惑者，終身不解；大愚者，終身不靈。三人行而一人惑，所適者猶可致也，惑者少也；二人惑則勞而不至，惑者勝也。而今也以天下惑，予雖有祈嚮，不可得也。不亦悲乎！

這段引文著重標舉世俗對於人價值信念的主導，以及人對此主導性之難以自覺。文中指出，一個人在缺乏自覺而受世俗價值主導下，以不盲從、取悅父母及君王為孝子、忠臣的必要特質。但是，卻未能自覺到自身始終是依從、遷就於世俗而不以為忤，即所謂「垂衣裳，設采色，動容貌，以媚一世，而不自謂道諛，與夫人之為徒，通是非，而不自謂眾人」，從服飾行為到是非認知，皆以世俗為準而不以為疑。〈天地〉對此心態即以「愚之至」稱之。

　　從引文進一步來看，這「至愚」至少涵蓋了兩個面向：其一，從「謂己道人，則勃然作色；謂己諛人，則怫然作色」來看，人都有自尊與羞恥感，不願被視為只知盲從、取悅他人而無人格尊嚴，也就是：「終身道人也，終身諛人也」；其次，人雖願意及希望保有尊嚴及獨立人格，但弔詭的是自身卻偏偏反其道而行，不斷地取悅與盲從而流失自尊與羞愧之心。這恰如前述〈漁父〉中的「舉足愈數而跡愈多，走愈疾而影不離身」，越是想避免及遠離某物，自身卻越是接近於它。

　　其三，這種越想避免卻越接近之的弔詭性，其形成和「自身評價」或「自身定義」有關。對此，文中提及：「垂衣裳，設采色，動容貌，以媚一世，而不自謂道諛，與夫人之為徒，通是非，而不自謂眾人，愚之至也。知其愚者，非大愚也；知其惑者，非大

惑也。」對於自身的容貌行止、信念認知之取法、依隨於世俗,未能「自謂道諛」以及「自謂眾人」。「自謂」在這裡含蘊省思與語言兩個層面,指向自我省思及自我定義及批判。自我省思是第一人稱視角的反身覺察;自我描述則涉及在人我之間或自我與他者(包含社會性、世俗性)之間的關係脈絡下,透過語言的自我指涉甚至自我批判。結合上述幾點則顯現出,所謂「至愚」是和世俗控制有關。詳細來看,這種控制的成功會讓人陷入一種實踐弔詭或悖論:個人的羞愧心與尊嚴欲求仍在運作、沒有消失,但是其實踐結果卻是反其道地損害其羞愧感及尊嚴。原因在於,世俗控制讓人沒有能力在心智層進行反身自省,以及在言層面進行人我關係下自我定義及自我批判。

其四,走出實踐悖論或弔詭的重要機會,即與自我省思,以及在人我言說關係下的自我批判與對話有關。對此,引文言:「知其愚者,非大愚也;知其惑者,非大惑也。大惑者,終身不解;大愚者,終身不靈」「知其愚」與「知其惑」即是能「自謂道諛」、「自謂眾人」:若是能自我反思,且同時在世俗關係的語言活動中進行自我批判,便有機會覺知到世俗的主導力量,而不至於讓世俗主導自身陷入反其道而行的實踐悖論中;相對地,若缺乏反思,則任何的道德實踐,儘管出自良善的動機,或是立基於羞愧之心與人格尊嚴的欲求,皆難以避免道德實踐反其道而行,甚至自我取消的悖論,進入此悖論自然即終身難解、終身難醒。

其五,大惑之難解,在一人之身或特定人之身或有解之的可能,因為「惑者少」,但是如果「天下惑」,則人們已普遍缺乏反思能力,並且自我批判與自我重新定義的言說要求,在關係互動中也已然失語,則天下的大惑是否有解之的可能?對此,莊子以無奈而憂悲的口吻言:「今也以天下惑,予雖有祈嚮,不可得也。不亦悲乎!」莊子對天下大惑之是否可解,看似流露出絕望的態度,然而,可能未必如此。莊子的說法是「予雖有祈嚮,不可得也」,「不可得」指的是甚麼?如果是指天下大惑得以解除的狀態是不可能的,則這的確已近絕望;但如果「不可得」是指解決天下大惑的具體途徑不可得,則未必全然絕望,因為可能只是途徑未明,而非已無途徑。莊子的「不亦悲乎」應非絕望,因為其既言「予雖有祈嚮」,則知其心中非已然絕望。或許透過雖有祈嚮但不可得的悲語,讓大惑中能出現「庸詎知吾所謂吾之乎」(〈大宗師〉),看似醒覺,卻能「不知周之夢為胡蝶,胡蝶之夢為周歟」的反身自疑者,進而得以自化、自省。天下之人若多有能如此者,則天下大惑或許逐漸能解。

上述反身自視、自疑的重要及不容易,〈山木〉篇螳螂捕蟬之寓言亦有此意蘊:

> 莊周遊乎雕陵之樊,睹一異鵲自南方來者,翼廣七尺,目大運寸,感周之顙而集於栗林。莊周曰:「此何鳥哉?翼殷不逝,目大不覩。」蹇裳躩步,執彈而留之。睹一蟬方得美蔭而忘其身;螳蜋執翳而搏之,見得而忘其形;異鵲從而利之,見利而忘其真。莊周怵然曰:「噫!物固相累,二類相召也。」捐彈而反

走，虞人逐而誶之。莊周反入，三月不庭。藺且從而問之：「夫子何為頃間甚不庭乎？」莊周曰：「吾守形而忘身，觀於濁水而迷於清淵。且吾聞諸夫子曰：『入其俗，從其俗。』今吾遊於雕陵而忘吾身，異鵲感吾顙，遊於栗林而忘真，栗林虞人以吾為戮，吾所以不庭也。」

這則寓言呈現出觀看的雙重身份：既是觀看者也是被觀看者。這樣的雙重身份，在觀看的活動中並不容易顯現，主要是觀看者的被觀看性容易被遺忘、不易自覺。寓言中的螳螂、異鵲、莊周，包含虞人都是觀看者，然而，分別也是被觀看者（虞人未提及被觀看，但勢必也不離被觀看性），只是所有觀看者都專注在觀看的對象上，卻一致地未自覺到自身也被觀看著。這種未自覺到自身亦是被觀看者同時含蘊著如下意義：未自覺到自身其實並沒有比被觀看者，也就是觀看的對象更具優越的地位。在觀看與被觀看的關係中，觀看者相對於被觀看者而言，總容易具有一種優越感。以寓言中的螳螂與蟬來說，螳螂作為觀看者，掌握著蟬的一舉一動，隨時能夠捕捉蟬，從視覺到行動上皆具優勢。這也隱喻著個人對於他者在認知、信念與行動上具有某種優先性。而一旦觀看者能自覺到自身亦同為被觀看者，就容易取消自以為的優勢或優先性，並從同為被觀看者一點上，意識到是自身與被觀看者之間的共通性及平等性。

寓言中的莊子正體現此意涵。當莊子觀看著異鵲時，異鵲對莊子而言是一個被觀看者，而莊子自身則處在觀看的活動經驗中。當莊子驚覺蟬、螳螂及異鵲皆同時被觀看著，並且「忘其身」地未自覺到此被觀看性，方驟然地自覺到自身也是「忘其身」地未自覺到自身亦被觀看著（虞人）。而這其中「忘其身」所指的缺乏自覺性，隨著「虞人誶之」的遭遇，讓莊子深切地感受到反身自覺的不易，並顯出「三月不庭」的深層憂思，而自言「守形而忘身」，並做出關鍵的歸結：「觀於濁水而迷於清淵」。

濁水指向觀看及審視的對象，也就是莊子反思批判的人間世；「清淵」歷來解釋有多種，而當以「反鑒自照」最切文意。郭象注曰：「見彼而不明即因彼以自見，幾忘反鑒之道也」[2]，此解頗能闡釋其中意涵。其後林疑獨釋曰：「以其見彼而反照以此也」[3]、陳景元言：「悟夫向者覽外境之塵而失內照之明也」[4]，以及王先謙解之曰：「知物類之逐利，而不悟己之當避嫌」[5]，皆以反視自身之義解「清淵」。因此，「觀於濁水而迷於清淵」正意謂只知批判，審視著濁汙的世間及他者，卻忘了同時反身自省，因而未能自覺到自身可能的侷限及困惑。

2　郭慶藩：《莊子集釋》，臺北：華正書局，2004.07，頁698。
3　褚伯秀撰，張京華點校，莊子義海纂微，上海：華東師範大學出版社，2014.07，頁637
4　同前註，頁638。
5　王先謙：《莊子集解》，臺北：三民書局，1992.08，頁117。

三 難解的天刑與實踐悖論

如前述,《莊子》中提到人生命實踐中的當解而難解,以及含蘊的實踐悖論,〈德充符〉中,叔山無趾言孔子「天刑之,安可解」亦深具此意義。全文如下:

> 魯有兀者叔山無趾,踵見仲尼。仲尼曰:「子不謹,前既犯患若是矣。雖今來,何及矣?」無趾曰:「吾唯不知務而輕用吾身,吾是以亡足。今吾來也,猶有尊足者存,吾是以務全之也。夫天無不覆,地無不載,吾以夫子為天地,安知夫子之猶若是也!」孔子曰:「丘則陋矣。夫子胡不入乎?請講以所聞!」無趾出。孔子曰:「弟子勉之!夫無趾,兀者也,猶務學以復補前行之惡,而況全德之人乎!」無趾語老聃曰:「孔丘之於至人,其未邪!彼何賓賓以學子為?彼且蘄以諔詭幻怪之名聞,不知至人之以是為己桎梏邪?」老聃曰:「胡不直使彼以死生為一條,以可不可為一貫者,解其桎梏,其可乎?」無趾曰:「天刑之,安可解?」

對於〈德充符〉提及的「天刑之」的意義,學界一般都將其聯繫到〈大宗師〉孔子之自稱「天之戮民」以及〈養生主〉的「遁天之刑」來加以討論。不過,〈養生主〉的「遁天之刑」指的不是孔子,而〈大宗師〉「天之戮民」是孔子自稱,和〈德充符〉「天刑之」之語是出自旁人視角的叔山無趾有關鍵的差異,畢竟,旁人對自身的評價與自我認同之間還是有著根本的差別。除了〈大宗師〉,《莊子》中「天之戮民」也出現於〈天運〉篇,是指「以富為是者」、「以顯為是者」以及「親權者」這類人,陷入了「操之則慄,舍之則悲,而一無所鑒,以闚其所不休者」的焦慮愚昧而終身疲役不返的狀態,正是「天之戮民也」。相較於〈大宗師〉孔子自言「天之戮民」意涵較為暗晦,〈天運〉「天之戮民」的意義就清楚許多,是指那些擁抱、欲求「富」、「顯」及「權」而終身背負枷鎖之人。這旁觀者角度的評價就與〈德充符〉言孔子所受的「天刑」的視角一致。

如果〈天運〉「天之戮民」與「天刑之」可相聯而論,則孔子之所以會遭受「天刑」,除了〈德充符〉所論及的孔子之「賓賓以學子為」以及「蘄以諔詭幻怪之名聞」對於知識名聲的自顯外,也與對於「富」、「顯」及「權」三者或其中一二者有所欲求有關。但是,為什麼無趾稱「天刑之」乃「安可解」呢?從文脈來看,無論無趾是否為理想境界人物,其指稱當有其意義。因此,為什麼儘管以「以死生為一條,以可不可為一貫者」等深刻之理明之,仍無法使孔子解除自身「天刑之」的桎梏呢?

歷來不乏對於「天刑之,安可解」的相關解釋,這些解釋大抵可區分為兩個面向,其一為不得不的承擔;另一則為生命實踐的深層困境。前者是德性人格在自主選擇及不得不然之間展現的張力;後者則是實踐困境與生命困頓所以然的根源。首先,在承擔面向,解之者認為,無趾對孔子「天刑之,安可解」的評價並非負面批評,而是孔子在理

想人格及境界，也就是聖境之下，與世俗之間的關係。這樣的關係大抵有兩個面向：一是世俗對於孔子的評價，也就是毀譽。這是說，孔子雖有至尊德性、神聖人格，但是無法左右及免除世人對他的毀譽，特別是名聲稱譽及緊步追隨。這樣的稱譽及追隨，如影之隨形，響之應聲，必然相隨不離，此為孔子難以免除的承擔，亦即其所受不可解之天刑。面對此天刑，孔子以不解解之，即德譽兩忘，內忘相冥。此種看法由郭象發其端並為代表，[6]其後諸如褚伯秀、孫嘉淦以至劉鳳苞等人，皆持近似的看法。[7]

　　承擔的另一面向，則多自主選擇的意味，解之者多聯繫到〈大宗師〉孔子自稱「天之戮民」來談，大抵同樣認為孔子為聖者，但是他自願承受禮法帶來的名聲桎梏，因為禮儀法度是德化眾人必要的媒介。持此看法者不少，例如鍾泰即言：「知之而甘為之，且為之而直忘之，此孔子之所以為至，而固非無趾之所能會也」[8]，認為此天刑之不可解非來自孔子的德性缺失，而在於其選擇踐履人間倫常儀度，並自忘之。再如牟宗三亦是持此理解的代表，他認為孔子之受天之刑與自甘為天之戮民，乃如佛之留惑潤生，以惡為方便法門以度化世俗，故孔子之受天刑，一樣無損其聖境，反而關懷世人正視其德性的重要向度。[9]其後，高柏園亦如此看，其認為：「儒家根本是透過道德實踐的努力……彰顯命中可能實現的種種價值，也因此根本不必將命限以桎梏、天刑視之」[10]。正面性之解讀不容易合於文本寓言之意義脈絡。因為從孔子在此寓言中，所謂「諔詭幻怪之名聞」，以及一開始孔子對叔山無趾「子不謹，前既犯患若是矣。雖今來，何及矣」的質

6　郭象注曰：「今仲尼非不冥也。顧自然之理，行則影從，言則嚮隨。夫順物則名跡斯立，而順物者非為名也。非為名則至矣，而終不免乎名，則孰能解之哉！」，《莊子集釋》，臺北：華正書局，2004.07，頁206。

7　如褚伯秀曰：「……無趾以夫子為天地，圖有以覆載之。夫子指其前失以為今來何及矣，無趾歎其猶若是，則有不滿於中，殊不知夫子之言正所以覆載之之道也。使無趾思所以補前行之失，而為全人形之殘，兀何加損焉？有以見聖賢化治，曲成萬物，而不遺人品差殊，則其成也不無等降，如本篇所列者是也。」，參見《南華真經義海纂微》；孫嘉淦曰：「……見孔子之務學守禮，以為拘謹，而不知內外一原，顯微無間，動容周旋，即是天命流行，聖人之所以立極千古而無流弊者正在此也。」，參見《南華通》；劉鳳苞曰：「……凡道德文章，光輝發越，聖人雖無償自為炫耀，而行則影從，言則響隨，如桎梏之不能解也。……聖如孔子，德無不至，究竟有德可名，以著形聲，即脫不開桎梏也。」，參見《南華雪心編》，北京：中華書局，2013.1，頁124。

8　鍾泰：《莊子發微》，頁117。

9　牟宗三言：「知「天刑」，則情尚於冥者，即消化此冥，而亦不以桎梏為桎梏也。安焉受之而已矣。此孔子所以自稱為「天之戮民」也。安焉受之而已矣。佛教菩薩「留惑潤生」亦復如是。同體大悲，不捨眾生，則惑即不惑也。涅槃即不涅槃也。天刑安可解哉？郭注即以此境說聖人。莊子假託兀者與老聃之問答，寄此境於仲尼。表面觀之，為貶視，而實則天地氣象之孔子實真能持載一切也。孔子自居為「戮民」，以一身受天刑，持載天下之桎梏而應物，豈真無本而徒逐物者乎？若真以莊子之言為譏貶孔子者，則誠愚陋之心也哉。」，《才性與玄理》，臺北：臺灣學生書局，1989.10，頁219-220。

10　高柏園：《莊子內七篇思想研究》，臺北：文津出版社，1992，頁160。

疑，加上無趾對孔子「安知夫子之猶若是」的批評等來看，將孔子說解為正面形象顯然較為勉強。

其次，從生命實踐的深層困境來理解天刑之義者，其詮解內容大抵有幾種：首先，認為孔子之遭受天刑及不可解，乃因其固有生命特質所限，如宣穎釋曰：「言其根器如此，天然刑戮，不可解也」[11]；胡文英亦如此解，曰：「生來如此桎梏，則非務學所能脫也」。這樣的解釋雖簡明扼要，並且從難以改變的先天質性層面來解釋天刑之，也可合理說明為什麼天刑之不可解。然而，這解釋會帶來很大的問題：若人生困境之不可解乃所謂固有根器使然，則這類人實踐轉化的空間即蕩然無存，這便和《莊子》對於生命轉化的理想相衝突。其次，則認為是天加諸的刑罰，故不可解。在這樣的解法中，究竟作為施罰者之「天」是否有意志，釋者多未加以說明。持此解釋者如林希逸，其曰：「桎梏者，名為己累，天刑猶天罰也」；又如林雲銘釋曰：「其受好名之累，猶天加刑，非人所能解也」。林雲銘所言的「天加刑」乃比喻之意，喻指孔子由於好名所遭受的負累，猶如天加諸的刑罰一般沉重難解。其三，則是認為「天刑」猶「天之戮民」，反映了孔子的選擇。其選擇擇善固執，明辨善物，堅持禮制名分，因此違反了天道自然而遭受「遁天之刑」。此中孔子的選擇不是已臻聖境的留惑潤生，而是未能泯是非、忘善惡。持此說者如釋德清，其言：「故以孔子務為虛名而不尚實德之人，故取人於規規是非善惡之間，殊不知至人超乎生死之外，而視世之浮名如桎梏。蓋未能忘死生，一是非，故未免落於世之常情耳」[12]；當代學者由此面向解者如許明珠，其認為寓言中的孔子未達逍遙，因為堅持道德上之區別善惡，並且實踐之路乃逃遁自然之道，故受遁天之刑。[13]

上述從生命實踐的深層困境面向來詮釋「天刑之，安可解」，於文本脈絡中似乎符合無趾的語境。不過，對於究竟「天刑」是指何意，以及為什麼天刑近乎不可解，各自解釋卻頗多分歧。對於「天刑」之義，以及為何其不可解，我們可以從〈德充符〉論及「天」的意涵討論起，因為「天刑」既然出現於〈德充符〉，則施刑者之「天」，其意義可聯繫到同篇「天」的意義來探討。

綜觀〈德充符〉，除了「天刑」之說，其論及「天」之處，意義大致有幾個面向：其一，指向自然界的天空，與大地相對，如「天地覆墜」、「官天地、府萬物」，以及「天無不覆，地無不載，吾以夫子為天地，安知夫子之猶若是也」。這一層意義的「天」，偏向僅具自然界的天穹之義。不過，其中「天下」一詞中的「天」，雖也有自然界天空義，但「天下」一詞已指向所有人居住，並為政治掌控的範圍；其二，同樣是

---

11 參見宣穎：《南華經解》，臺北：宏業書局，1969.6，頁55。

12 林雲銘：《莊子因》，臺北：蘭臺書局，1969.6，頁135。

13 許明珠：〈「天刑」：孔子不走逍遙路〉，《興大中文學報》第46期，2019。

天、地相對而言，但是「天」不是指向自然界的天空，而是具為生命來源之義。例如：「受命於地，唯松柏獨也在，冬夏青青；受命於天，唯舜獨也正，幸能正生，以正眾生」，言舜「受命於天」。可見此「天」具有生命來源義，此如松柏之「受命於地」而見「地」是賦予松柏生命之源。

其三，和第二點生命之源的意義相近，但「天」不與大地對舉，單獨指向人的形貌來源，如：「道與之貌，天與之形，惡得不謂之人？」，以及「天選子之形」。就「道與之貌，天與之形」而言，相對於「道」是人外貌的來源，「天」則作為人形體的來源。當然，這裡的「道與之貌」與「天與之形」二句可以互文視之，則道與天，乃是人形與貌的來源，如此「天」雖單獨提及，其性質無法由與「地」相對舉來辨識，但是因為與「道」互文，而「道」不具意志及主宰義，因此，「天與之形」的「天」作為人的形體或形貌的來源，也當非意志天之義。如此，「天選子之形」之說，「天」在此讀來似乎有意志義，然亦當以自然義視之。

其四，也是一種來源之義，但指向的是生命養育的來源。〈德充符〉中言：「聖人不謀，惡用知？不斲，惡用膠？無喪，惡用德？不貨，惡用商？四者，天鬻也。天鬻者，天食也。既受食於天，又惡用人？」這裡的「天鬻」即「天養」，也就是「受食於天」，意指從天獲取養分及食物。而源自天的生命養份，由於指向不謀、不斲、無喪、不貨之非人為謀畫與構作，因此源自天或天所賦予的生命養育，也即是人生命的自發力量，而「天」也就是這自發生命力量源源不絕的背景或基礎。

從上述的歸納可見，〈德充符〉中「天」的意涵，有兩點可注意：首先，以作為生命、形體及生命養育的來源，亦即以「根源義」為主要意涵。不過，作為根源義的「天」，其所賦與者大抵皆非負面之意，而是人的生命狀態或條件，此其一；再者，天與人之間是來源者或施與者與承受者的關係，人沒有能力左右天的賦與。這一點，「天」的意義和「命」接近，此為其二。以此看天刑，我們可以理解，此「刑」是由「天」所施與，天是刑的來源。其次，由於人不能左右天的施與，而刑為天的施與，因此人沒有能力解除天所施與的刑；再者，由於天所施與者皆無負面意，而是關係到人與生具有的生命特質，則天所施與的刑也應當與此相關，如此，將天刑理解為天所施與人，或人所受於天者，似乎便和〈德充符〉其餘「天」的意義一致。若此，則天刑，似乎理解為人所受乎天的根器使然，似乎是合理的解釋。

然而，雖然文本脈絡可如此推演，但將天刑理解為天賦與人的根器，而人對天所施與的生命根器無能左右因此不可解，則生命轉化不可能的問題仍然存在。如此，天刑之不可解，其義當何解？

由於〈德充符〉中，天與人的關係主要為：人承受天的施與，並對所施與者無法左右，也就是「人之不能有天」。則我們可以循此關係來轉變思考的方式，由「究竟天施與寓言中的孔子怎樣的刑，使得此刑不可解？」轉為「究竟為什麼孔子無法解除加諸在

他身上的刑，使得此刑成為人無法左右的天之施與？」。如此一來，探討的關鍵由「天刑是什麼」轉為「什麼不可解？」。

至於「天刑」，我們可以認為，是無趾用來強調此刑對於孔子而言，已如天之所施者，無力左右，不可解除。[14]這裡需再澄清的是，如前述，在〈德充符〉中，天所施與人者多為中性的生命特質，然而「天刑」似乎不合此。對此我們可以說，「天刑」如同「天與之形」，最深的不可解正是已然內化為其生命特質。也就是說，無趾以天刑比喻或呈現出，孔子身上不可解之刑，是已然深化成為其生命的特質，如同天與之形，而不是僅客觀地說，天給予孔子這樣不可解的生命特質。

四　不可解之原由與實踐悖論

既然重點在「為什麼不可解？」，則我們首先可以回到寓言來看看，孔子身上究竟有哪些枷鎖？首先，叔山無趾踵見孔子，孔子見到無趾受刑的腳後言：「子不謹，前既犯患若是矣。雖今來，何及矣？」孔子的這段質問，一方面蘊含了明確的善惡觀，同時將刑罰與患、惡連結在一起，而以無趾身體上的受刑視為患禍及罪惡的印記。孔子以身體之受刑來評價無趾的人格及行為價值，這與同樣在〈德充符〉中描述的，子產之以兀者這一形體上的受罰來否定申徒嘉的人格價值，是一樣的心態。而無趾對孔子質問的回覆，正與申徒嘉之回應子產的鄙視如出一轍。無趾曰：「吾唯不知務而輕用吾身，吾是以亡足。今吾來也，猶有尊足者存，吾是以務全之也」，此申明自身雖形體受刑而殘損，但仍有比雙腳，亦即比形體更為尊貴者在。儘管身體已無法完整，但尊貴於身體的部分卻仍有機會保全。無趾這樣的回覆與申徒嘉回應子產曰：「今子與我遊於形骸之內，而子索我於形骸之外，不亦過乎！」幾乎一致。

上述顯現，孔子如子產，有一套明確判定善惡的標準，這個標準由刑罰來落實，並且身體成為呈現此標準的場域。討論到這可以延伸出一個面向，即批評孔子遭受天刑的不是老聃而是受刑者無趾，這個發言身分有其特殊意義。無趾認為孔子其實和無趾一樣也是一個受刑者，只是無趾受的是被視為「惡」的標準主導下的刑；而孔子受的是那些被視為「善」或自居為善的一面所加諸或所受的刑。這種善的刑，可以在〈大宗師〉中

---

14 林雲銘在釋〈大宗師〉「天之戮民」時即言：「何故必依方內？方內桎梏，不能自脫，如受之天」參見《莊子因》，臺北：蘭臺書局，1969.6，頁164；其後吳怡亦近於從此角度解釋「天刑」。其言：「『天刑』在《莊子》書中本是指自然的變化，如生死。由於人無法改變，所以視生死為天刑，只有安之若命，不解而自解。這裡所謂『天刑』，也就是指無法改變的刑罰。但莊子筆下的孔子這種斤斤於求學和名聞，並非如生死的天刑，而是一種心的執著，是一種心刑。在心刑無法破解，就同天刑之無法解開了。所以無趾的話，乃是加重其不可解，而說為天刑。」參見《新譯莊子內篇解義》，臺北：三民書局，1991.06，頁197。不過只是認為無趾以天刑強調不可解，並未說明強調此刑源於天的原因；如果從〈德充符〉中天與人的關係，即可說明無趾強調天刑的用意。

許由對堯的評價看出：「黥汝以仁義，而劓汝以是非矣」，黥與劓都是刑罰，但是此刑卻由代表「善」或「是」（是非之是）一面的仁義、是非所加諸。再者，無趾希望能保全尊足者，這正意謂身體遭受的刑罰可由尊足之「德」的整全來解開，也就是說，「惡」的桎梏可由尊於形之德來解除；但孔子身上自居為善的刑，卻已如形貌之受之於天，已不可更改，無由可解除。

孔子以善自居，當然就不只會指責無趾這類的「惡人」，他更需要進行化惡成善的教化工作，此即寓言後半部無趾向老聃質疑孔子之語：「彼何賓賓以學子為？彼且蘄以諔詭幻怪之名聞」所謂「賓賓以學子為」歷來有兩種主要解釋，一是解之為孔子汲汲地向老子學習；[15]另一是解為孔子積極地帶領眾人學習。[16]若從接著所謂「蘄以諔詭幻怪之名聞」，以及前述孔子自居為善的態度來看，理解為孔子積極的帶領眾人學習亦可。換言之，孔子不僅懲惡，同時要揚善。

不過，儘管孔子有上述之失，他在聽聞無趾「吾以夫子為天地，安知夫子之猶若是也！」失望之語後，也即回以自咎之詞：「丘則陋矣」，這自愧之語也出現在〈大宗師〉子桑戶死，孔子派子貢往侍事之，而子貢返回描述子桑戶諸友臨尸而歌後，孔子對於遣子貢往侍事，自言「丘則陋矣」。孔子既言自身淺陋，則不就顯現出前文所謂的自省狀態？而如前文所述，一旦能自省而自知其愚，就非終身不可解之「至愚」；然而，孔子在聽聞無趾的失望之語後，是否確實自省與自覺其愚，從後文來看卻不盡然。孔子雖自言「丘則陋矣」，但是當無趾離開後，孔子卻隨即跟弟子如此評價無趾：「弟子勉之！夫無趾，兀者也，猶務學以復補前行之惡，而況全德之人乎！」這段話言及無趾「兀者也，猶務學以復補前行之惡」，可見孔子對惡與刑的連結仍未改變。再者，所謂「弟子勉之！」以及「而況全德之人乎」的語氣及說法，都有一種在內心將自身（包含其團體），視為尊於無趾這類人（就算其嘗試要復補前行之惡）的態度。

最後，關鍵在於老聃之言：「胡不直使彼以死生為一條，以可不可為一貫者，解其桎梏，其可乎？」儘管孔子有著前述的「桎梏」，但若能讓他理解生死皆為變化之歷程，而評價上的可與不可，亦可互換而非決然二分，如此，是否能讓孔子從前述枷鎖中走出？對此，無趾即答以「天刑之，安可解」。前文已對寓言中孔子所受的刑，以及為什麼此刑為「天刑之」做了討論，但進一步的問題為：為什麼縱使令孔子明白「死生為一條」以及「可不可為一貫」之理，孔子所受之天刑卻仍如無趾所言「安可解？」對此，可參照《莊子》其他篇章所論來了解。

---

15 如郭象注曰：「怪其方復學於老聃」；成玄英疏曰：「賓賓勤敬，問禮老聃」參見《莊子集釋》，2004.07，頁204。；林自釋曰：「又見老聃，疑夫子賓賓以學蘄以蘄以諔詭幻怪之名聞」，參見《南華真經義海纂微》；阮毓崧曰：「學子，言學於子也。『為』語助也。猶言彼何頻頻來學於子耶」，《重訂莊子集註》冊一卷上，上海：上海中華書局印行，1936.4，頁41。

16 如林雲銘釋曰：「賓賓，眾盛之意；學子，從學弟子也。」參見《莊子因》，臺北：蘭臺書局，1969.6，頁135。

　　寓言中，孔子所受之刑，具體而言乃是聖人視之為桎梏的「諔詭幻怪之名聞」。換言之，聖人視之為刑罰的「名」，孔子卻企求以名聞。而對於「名」，莊子給予了聖人都難以負擔的重量：「名實者，聖人之所不能勝也」；「名」具有名分與名聲這二義，二者相互關聯但也具有張力。對於莊子而言，名聲可以增強名分賦予的權勢與力量；但名聲帶來的力量也可以遠超過名分所容許的程度。前者誘惑著人，後者則給人帶來災禍。前者如〈人間世〉所言「名者，相軋也」，「名」讓人相傾軋，讓人在名分的脈絡下，具備凌駕他人之上的地位，如臣的名分以忠之名而居於萬人之上；後者則如〈人間世〉所提及的關龍逢以及王子比干「脩其身以下傴拊人之民」之作為，以及由之獲得的聲譽已遠遠超出人臣之名分所規範的程度即範圍，因而造成「以下拂其上」的踰越名分之舉，進而遭致君王「因其脩以擠之」的黜殺，〈人間世〉正歸之為「是好名者也」。

　　就此而言，「名」因此具備如下的張力：名聲充實了名分的規範意義，但名聲也可能踰越破壞了名分的規範力量。這樣的張力不只是理論層面的，更是實際上，人們背負名聲時所具備的險境：名聲彰顯了人在名分中的實踐價值，但名聲也會讓人在名分的實踐中遭致毀滅。「名」的美麗又邪惡，讓莊子於〈人間世〉中不禁言：「名、實者，聖人之所不能勝也」。

　　進一步言，名的美麗而邪惡，展現在人們對於「名」的認同，通常達至生命認同的狀態。以《莊子》的說法，即是「以身殉名」。這不但是將名看得比生命更重要，更是不惜以死亡作為手段來成就或彰顯名的存在。對此，《莊子》中多處提及。如〈駢姆〉曰：「士以身殉名」，又言：「伯夷死名於首陽之下」，而〈天運〉則曰：「以顯為是者，不能讓名」，這些皆言及將生命的價值依附在名的執持之下，甚至名已塑造了其內在的生命特質，如前文所論「天刑」的意義。

　　順此來看，既然名聞聲譽是生命依附之所在，甚至人們、不惜以死亡來成就之，則「死生為一條，可不可為一貫」之說，當然解不開名的桎梏。「死生為一條」之說，在於從生死乃同為大化而明「生死為一」之理，並且重點在於以此理化除悅生惡死之情；「可不可為一貫」之說，則是以視角或立場的轉換，明「可」亦為「不可」，「不可」亦為「可」之理，以此明是、非；彼、是莫得其偶，並非絕然對立或二分，其重點在於使人避免陷入是非對立，特別是「我是彼非」的對立中。然而，當生命價值全然依附於名，甚至不惜以死亡成就名聞聲譽，則在名的信仰下，既已無悅生惡死之情，同時也必然「以顯為是」之絕對肯認「名顯」為「是」，否則即「非」。也因此，「死生為一條，可不可為一貫」之論，毫無解除名之桎梏的可能。

　　上述的討論同時也說明，天刑的難解，是就「使彼以死生為一條，以可不可為一貫」一方法而言，這意謂著，天刑是以此理無法解，而非全然不可解。若此，則天刑究竟當如何解？對此，由於天刑桎梏具體而言即是「諔詭幻怪之名聞」，則解之的關鍵當在如何不受名的桎梏上。正如前述，名對於人來說，通常是生命的整體依附，這也正是

由名而來的刑或桎梏，之所以如同源自「天」般的難解之由。

名分聲譽內化為自以為善的堅定信念及忠誠，甚至不惜以死捍衛之，則「無物不然」、「無物不可」之「可不可為一貫」，以及「生死無別」之「死生為一條」之理，當然便毫無力量可動搖此桎梏。如果真要論及「天刑」桎梏如何真的能解，則如寓言中的當事主，須能反身覺察到信念、信仰及情感忠誠的深處，如此方能內觀自身的「自以為覺」之處，也才能轉化已然作為自身生命內在支持的「天刑」，進而讓生命走出此信念及忠誠的禁錮中。換言之，解其「天刑」關鍵不在於認知特定之理，而在於反身內覺身心之深處。

「心齋」從「聽之以耳」向內覺察「自以為覺」的「心」（即「心止於符」），進而在覺察此心後，弱化、虛化此心，以能「聽之以氣」地感受、回應他人、他物。自以為覺、「心止於符」的「心」，正是如〈人間世〉所言「臨人以德」的「心」。自居為善、自感為善而欲化善成俗；然而以善自居，卻在「善惡相生」、「以人惡育其美」的善惡相軋中，引生更多的惡性。此心正是由善引惡之實踐悖論的關鍵原由，也即「天刑」之所在。而由深切省察此「心」，覺曉此心之依善引惡，方能切感此惡性之源，而能虛化此心，以能「感而後應」、「達人心、氣」地「虛而待物」，也就是能感受、進入他者的脈絡，在語言上則是能在人我言說關係下的自我批判與對話，如此，方是解此天刑之關鍵。

五　結論

本文探討了《莊子》論及價值理想難以實踐，或是生命困境難以解除的狀態，也就是所謂當解而難解。探討了之所以難以實踐、難以解除的原因，以及最終如何能解。在討論中，也觸及了其中所蘊含的實踐悖論，意指在良善的行動脈絡下，包含良善的動機等，最終卻導致惡結果。

當解而難解與實踐悖論有著緊密的關係，對於《莊子》而言，價值理想之所以難以實踐，或生命困境之所以不易解除，不僅在於實踐意志的薄弱、內在情志的複雜，以及實踐途徑的缺失等各方面，更核心地在於那缺乏反思或反身性的自足行動主體本身。這樣的行動主體，既可能有堅定的信念、堅強的行動意志以及忠誠的信念及情感，甚至在行為上也無明顯缺失；然而卻因缺乏自我覺察、自我質疑而無法覺知自身的偏限及特定脈絡，誤以為自身能具有第三人立場的客觀視角，以致無法容受更多他者的生命脈絡。更為多樣的信念與觀點，最終以封閉的特定畛域與他者形成「彼是為偶」的相互對立，甚至不惜「以身殉名」地以生命捍衛自以為的真理及信念。如此，再良善的動機，再堅定的行為，都是讓自身走向困境的原因，也同時是讓自身在困境中不易走出的原由。這在自身的生命上，是由善而惡；在人群的影響上，信念的執持與對立，伴隨著全生命託付的熱情及忠誠，同樣是走上依善引惡的悖論途徑，這正是當解而難解與實踐悖論的相依而生。

徵引文獻

王先謙：《莊子集解》，臺北：三民書局，1992.08。

牟宗三：《才性與玄理》，臺北：臺灣學生書局，1989.10。

林雲銘：《新譯莊子內篇解義》，臺北：三民書局，1991.06。

林雲銘：《莊子因》，臺北：蘭臺書局，1969.6。

宣　穎：《南華經解》，臺北：宏業書局，1969.6。

高柏園：《莊子內七篇思想研究》，臺北：文津，1992。

郭慶藩：《莊子集釋》，臺北：華正書局，2004.07。

許明珠：〈「天刑」：孔子不走逍遙路〉，《興大中文學報》第46期，2019。

褚伯秀撰，張京華點校：《莊子義海纂微》，上海：華東師範大學出版，2014.07。

劉鳳苞：《南華雪心編》，北京：中華書局，2013。

鍾　泰：《莊子發微》，上海：上海古籍出版社，2002.04。

阮毓崧：《重訂莊子集註》冊一卷上，上海：中華書局印行，1936.04。

如何思考共生與社會生活
——從《群書治要》中的老、莊形象說起[*]

李志桓

（江蘇）浙江海洋大學中文系講師

摘要

　　本文將指出，《群書治要》中的老莊哲學仍是一種「形上學思維」在古典政治中的體現：（一）人間的活動植基於自然宇宙秩序之上；（二）君臣之間的共生模式，受制於君王之身體與國體的治理想像。然而，透過批判性的創造轉化，老莊哲學亦可以提煉出差異與共存的當代語意，其關鍵於個體的「物化」總是在交互關係之中完成。最後，這樣的物化主體，因為接受人的有限性，也就更適合與自由主義者所設想的公民主體相銜。

關鍵詞：群書治要、創造性轉化、物化、共生、自由主義

---

[*]　文章的寫作因緣，起於廖育正老師的邀請與鼓勵，在此致謝。

How to think about co-living and social life:

Laozi, Zhuangzi and *Qunshu Zhiyao*

Lee, Chih-Huan

Lecturer, Department of Chinese Language and Literature, Zhejiang Ocean University

Abstract

This article will point out that the philosophy of Laozi and Zhuangzi in *Qunshu Zhiyao* (《群書治要》) is still a kind of "metaphysical thinking" embodied in classical politics: (1) human activity is based on the natural cosmic order; (2) the mode of co-living between rulers and ministers is subject to the imagination of the king's body and the governance of the state. However, through critical creation and transformation, Lao-Zhuang philosophy can also extract the contemporary meaning of difference and coexistence. The key is that the transformation of individual is always completed in an interactive relationship. Finally, such a transforming subject, by accepting the finitude of human beings, is more suitable for the civil subject envisioned by liberals.

Keywords: *Qunshu Zhiyao*（《群書治要》）, creative transformation, the transformation of individual, co-living, liberalism

一 前言

本文的第一部分，在探索《群書治要》中的老、莊如何被閱讀成為政治文本，我將指出：在魏徵等人的編輯意識底下，《老子》與《莊子》可能被閱讀成了漢代的黃老政治哲學，其特點是人間的合理活動皆植基於自然宇宙論的運行規律。繼而，儘管在《貞觀政要》與《群書治要》的對讀當中，可以發現一種「君臣共生」的命題。然而，這樣一種「共生」的談法是上下縱貫式的，它奠基於君王的身體與國體的治理想像。故而，《群書治要》雖蘊含著一些思想潛力，礙於時代所限，唐太宗和他的大臣未能把思想推到當代所需的問題意識當中。本文的第二部分指出，透過《莊子》在清代以降的閱讀，可以詮釋出在「互化」中蘊含「自化」與「他化」的命題，加之以《莊子》對個體之有限性的承認，我們得以構想「差異」與「共存」的社會生活圖像。

底下，先說明《群書治要》的性質，以及老、莊在其中出現的背景。《群書治要》是一本皇家教科書，供作王室成員閱讀，藉以學習為政治國之道。其成書於貞觀五年（西元631年），從相關的史料記載來看：

> 貞觀五年九月二十七日，秘書監魏徵撰《群書政要》（即《群書治要》），上之。太宗欲覽前王得失，爰自六經，訖於諸子，上始五帝，下盡晉年。（魏）徵與虞世南、褚亮、蕭德言等始成，凡五十卷，上之。諸王各賜一本。[1]

> 以為六籍紛綸，百家蹖駮：窮理盡性，則勞而少功；周覽泛觀，則博而寡要。故爰命臣等，采摭群書，翦截淫放，光昭典訓。聖思所存，務乎政術。（臣等）綴敘大略，咸發神衷。……本求治要，故以「治要」為名。……用之當今，足以鑑覽前古，傳之來葉，可以貽厥孫謀。[2]

貞觀初年，在天下局勢大趨平穩之後，唐太宗李世民開始留意治國理政之要領，卻苦於經籍紛繁，無從下手，乃命魏徵、虞世南等人，於古籍當中尋找有益於「政術」者，加以剪裁、編纂，命為「治要」，供作自身與王室成員閱讀學習之用。[3]其次，檢閱《群書治要》不難發現其體裁與類書相近，大抵是對於前代之文史典籍的摘取與輯錄，同時魏

1　王溥：《唐會要》（上海：上海古籍出版社，2006年），頁759。

2　魏徵：〈群書治要序〉，《群書治要譯注》（北京：中國書店，2011年），第1冊，頁43-47。

3　相關討論，參見張瑞麟：〈立名存思：關於《群書治要》的編纂、傳播與接受〉，《東華漢學》33（2021年6月），頁6-13。林朝成指出，出現在《貞觀政要》裡的君臣對談，經常引據《群書治要》中的文獻與前人事蹟，而即使到了玄宗、德宗、憲宗期間，我們仍可以見到唐代君臣圍繞著以《群書治要》作為治國之重要參考書籍的問答。參見〈《群書治要》與貞觀之治——從君臣互動談起〉，《成大中文學報》第67期（2019年12月），頁111-112。

徵等人並沒有替這些個別被引錄的段落，添寫說明其選輯的用心所在，故而，在今天我們只能透過比較書中選文與原著狀態的差異，觀察究竟是在哪些段落裡進行了剪裁、編輯與強調，可以說，其中的加工手法反映出編纂者背後的思想意識。[4]

職是之故，觀察《老子》與《莊子》在《群書治要》中如何現身？便可以協助我們推想：彼時，唐太宗和他的大臣如何在「治國理政」這一意圖上，閱讀老、莊文本。繼而，我們也得以對這樣的閱讀圖像進行評價。

二　《群書治要》中的老子

以《老子河上公章句》為底本，《群書治要》編纂了其中的49章文字（道經19章、德經30章），將兩者稍加比對，便可以發現其中的特色是：（一）魏徵等人對於「本體論」的語言，缺乏闡釋的興趣；（二）其剪裁的焦點更多地集中在提供一種由治身通往治國的政教之術。

展開來說，《群書治要》的選輯明顯略過了探討「道論」的章節。在這裡，被錯過的文獻，除了直接描述「道─物關係」的：「孔德之容，惟道是從。道之為物，惟恍惟惚」（第21章）、「大道氾兮，其可左右。萬物恃之以生而不辭，功成而不有」（第34章），還有那些思索「有─無關係」的玄德稽式：「常無欲，以觀其妙；常有欲，以觀其徼。此兩者，同出而異名，同謂之玄」（第1章）、「天下有始，以為天下母。既得其母，以知其子；既知其子，復守其母」（第52章），以及將世界本身看作物化歷程的表達：「萬物並作，吾以觀復，夫物芸芸，各復歸其根」（第16章）。然而，在今天我們相當清楚，恰是對於這些核心章節的不同解讀，才決定讀者如何思考「道」與「萬物」的關係，以及做為萬物之一員的「人」，如何在這樣的關係當中立身行事，從而形成日後《老子》詮釋的不同圖像。[5]

與上述相應的另一種編輯手法，則是對所欲引錄之《老子》文獻進行刪節：

---

[4] 恰如日人細井德民所言：「有彼（原著）全備而此（《群書治要》）甚省者，蓋魏氏之志，唯主治要，不事修辭，亦足以觀魏氏經國之器規模宏大，取捨之意大非後世諸儒所及也。」，語見〈刊《群書治要》考例〉，《群書治要譯注》，第1冊，頁56。另參張瑞麟的討論：〈轉舊為新：關於《群書治要》的編纂與意義〉，《文與哲》第36期（2020年6月），頁113-115。

[5] 以當代道家哲學的詮釋史來說，恰是牟宗三先生以實踐進路將「道─物關係」重新解讀為境界型態的體驗哲學，才打破過往那種以思辨或實有為特徵的形上學解讀，爾後又經過海德格（Martin Heidegger）、畢來德（Jean François Billeter）等相關視域的對話與推進，才出現臺灣學界以「互文交織」和「批判性」為特徵的道家哲學解讀。從「實有」到「境界」，再到「跨文化」，這一路以來的核心差異，正是對於「道─物關係」、「人─物關係」的不同解釋。參見袁保新：《老子哲學之詮釋與重建》（臺北：文津出版社，1991年）；賴錫三：〈牟宗三對道家形上學詮釋的反省與轉向〉，《當代新道家》（臺北：臺大出版中心，2011年），頁107-171；楊儒賓：〈莊子之後的《莊子》〉，《儒門內的莊子》（臺北：聯經出版事業公司，2016年），頁449-460。

> 天地不仁，以萬物為芻狗；聖人不仁，以百姓為芻狗。<u>天地之間，其猶橐籥乎？</u>
> <u>虛而不屈，動而愈出。多言數窮，不如守中。</u>（第5章）[6]

魏徵等人在處理第5章的時候，僅僅突顯人事與天行運作的相符合，既然天地以「不仁」的方式生養萬物，那麼君王亦需以「無為」的方式待養生民。然則，這樣的讀法是相對乾癟的，如果我們考慮底下被刪去的文字，其云：身處天地之間，猶如在鼓風爐內部，遭遇各種強弱、冷熱、方向不同之氣流的交錯碰撞（「天地之間，其猶橐籥乎？虛而不屈，動而愈出」），有著另一番自我調節的工夫可做（「多言數窮，不如守中」）。這後一段文字，起著重新校正與豐富前段文字之語意空間的效果，一旦我們將君王的「無為」（不仁）理解成，他與周遭之各種力量關係（即鼓風爐中的各種氣流）不得不有的交手狀態，其間所謂的天人相符與人物對待，也就跟著重新展現為一幅動態的複雜圖像，而非原先那種單調單色的「比配」語意。[7]

由君王施行「無為」促成國家之治理的直截表述，經常出現在《群書治要》當中，然而也因為段落的刪削，其間的運作邏輯，以及其中可能富有的辯證意涵，跟著被忽略帶過了。茲舉兩段文獻，加以說明：

> <u>有無相生，難易相成，長短相形，高下相傾，音聲相和，前後相隨。</u>是以聖人處
> 無為之事，行不言之教，萬物作焉而不辭，生而不有，為而不恃。（第2章）[8]

面對《老子》第2章，《群書治要》僅僅再次突出由聖人之行動（「聖人處無為之事、行不言之教」）來促成萬物發展的語式（「萬物作焉」），讀者並不清楚：此處的「無為」與「不言」究竟是一種什麼樣的施為，為什麼可以帶來這樣的效果？它的意思可以是：韓非心目中的那一套治國管理辦法，呼籲人主隱藏自身的好惡，藉以潛馭群臣，而無須事必躬親：「君無見其所欲，君見其所欲，臣自將雕琢；君無見其意，君見其意，臣將自表異。故曰：去好去惡，臣乃見素，去舊去智，臣乃自備。故有智而不以慮，使萬物知

6　引自《群書治要譯注》，第20冊，頁114。在括號內，加上底線標注的小字，是《群書治要》所刪去的段落。底下相同。

7　此處，我接受安樂哲（Roger T. Ames）對《老子》第5章的譯解，「芻狗」是祭祀的主角，但在節日過後，就被丟棄了。在這裡，隱喻的是：「在自然界的循環中，萬事萬物都擁有它們的『時刻』，當這一特定時段過去，它們也就隨之而去。自然界中沒有任何事物，無論高低，可以獲得永久的敬意」。語見《道不遠人——比較哲學視域中的《老子》》（北京：學苑出版社，2006年），頁98-99。我們身在其中的變化與生成狀態，不是人力可以徹底掌握和規劃的對象，但這不意味著，「人道」應該完全被動地比配「天地（自然）」的運行規律，否則我們很難回應畢來德、張灝、林毓生所提出的質疑：中國古典思想有沒有發展出一種能夠反思宇宙秩序的個體性？故而，底下的「多言數窮，不如守中」，可以詮釋為天人之際的調節（修養）工夫。相關說法，參見下文討論。

8　《群書治要譯注》，第20冊，頁112。

其處。」[9]也可以是成玄英所體會的人際行動：

> 言聖人寂而動、動而寂。寂而動，無為而能涉事。動而寂，處事不廢無為。斯乃
> 「無為」即為，「為」即無為。……「語」不妨「默」，既而出處語、默，其致一
> 焉……故《莊子》云：言而足者，則終日言而盡道；言而不足者，則終日言而盡
> 物。[10]

成玄英恰好透過被略去的「有、無相生」一段，來闡述從「無為」到「萬物作」之間的
做動關係。對成氏而言，眼前的物貌差異（有／無、難／易、長／短、高／下、音／
聲、前／後）沒有獨立的實體性，它們所以能夠被看成如此這般之「物」，肇因於我與
事物之間，有一個無止無盡的相互對位與不斷輪轉的詮釋關係（有-無相生、難-易相
成、長-短相形、高-下相傾、音-聲相和、前-後相隨）[11]，故而聖人所謂的「無為」和
「不言」，不是真的不說話、不做為，也不是韓非所闡述的那種可以直接遵循的行動規
範，反倒是又語又默、時為時不為，從而能夠深入到各種事物因緣與邊界之中的複雜
行動。

另一個相關例子是《老子》第65章：

> 古之善為道者，非以明民，將以愚之。民之難治，以其智多。故以智治國，國之
> 賊；不以智治國，國之福。知此兩者，亦稽式，常知稽式，是謂「玄德」，玄德
> 深矣，遠矣，與物反矣，乃至於大順。（第65章）[12]

「智」可以解作知識，或者更準確地說，它是那種能夠對眼前未名事物施以輪廓，將特
定的秩序關係加以定位出來，從而形成各種學說觀點的思維能力。這種思維能力，有類
於韋伯（Max Weber）所說的工具理性，或者海德格所謂的計算性思維，它是兩面刃：
一方面，能夠設想制度、發明器物，安立起生活中的種種便利；另一方面，也因為著迷
於計算思維的編排能力，遂帶來日後處士橫議、爭論不止的人心亂象。然而，如果魏徵
對《老子》65章的處置，僅僅保留「民之難治，以其智多」一段，那麼，所謂的「非以

9　陳奇猷：《韓非子新校注》（上海：上海古籍出版社，2013年），頁66。

10　引自成玄英：《道德經義疏》，收在蒙文通：《道書輯校十種》（成都：巴蜀書社，2001年），頁380。

11　參見成玄英對「有無相生」一段的註解，「『有』、『無』二名，相因而立，推窮理性，即體而空。既
　　知有-無相生，足明萬法無實：空心慧觀，無易無難，分別執情，有難有易，是知『難』『易』二
　　法，相互而成；以長形長則無長，以短比短則無短，故知『長』『短』相形而有者；夫有高則有下，
　　無下則無高……故知『高』『下』竟無定相，更相傾奪，所以皆空也；宮商絲竹，相和而成，推求性
　　相，即體皆寂，以況萬有，虛假亦然。」語見《道德經義疏》，收在蒙文通：《道書輯校十種》，頁
　　379。

12　《群書治要譯注》，第20冊，頁162。

明民，將以愚之」便很難免於「反智論」的質疑。[13]回應這樣的置疑，其解方就在底下被刪去的「稽式」、「玄德」一段，它可以看成全章的轉語所在，按王夫之的讀法，所謂「知此二者」指的是：既知「以智治國」，又得「不以智治國」。類似的表達，還有「既知其子，復守其母」（第52章）、「知其白，守其黑，為天下式」（第28章），這些「既知復守」的表述必須連結《老子》首章對於常有（欲）、常無（欲）的同時重視作解，它意指一種既能運用計算思維，又能保持警覺不致迷失在種種現成之對象關係當中的行動。這樣一種行動姿態又被稱之為「天下式」或「稽式」，亦即：藉此，我得以一再取得與「物」輾轉相成的平衡位置（「式」有模式的意思在，但它的語意不是說：這是一種天下人都要效法的標準，而僅是指陳：這裡有一個不斷應物取衡的狀態）。繼而，下文所謂的「玄德」、「與物反矣，然後乃至大順」，或者「玄之又玄，眾妙之門」，也就可以解釋為：物與我的交織共構（「玄」字有一種不可分割殆盡，彼此交織共存的意思在。那麼，「玄之又玄」指的就是：物總是在交織中走向「物化」的歷程）。[14]

　　以上，觀察《群書治要》對於《老子》文獻的檢選和運用，我們發現：編輯者傾向去強調由君王之修身通往國家之治理的作用，諸如：「我無為而民自化，我好靜而民自正」（第57章）、「無為而無不為，取天下常以無事」（第48章）、「道常無為而無不為，侯王若能守之，萬物將自化」（第37章），然而這些文獻背後的做動機制並不是自明的。為什麼魏徵在編輯《群書治要》的時候，會略過那些能夠幫助我們複雜化思考「無為」、「不言」等相關概念的段落？對此，我以為，或許當魏徵等人以《老子河上公章句》作為其研讀和選錄的底本時，這個選擇本身就已經表明《群書治要》的編纂者與讀者大抵接受章句所描述的政教世界觀。

　　《老子河上公章句》成書於東漢中後期，主要的內容是沿著漢代以降的自然宇宙論和黃老思想來閱讀《老子》文獻。這套理論相信一切人事活動，小由個人的長生久壽，大至民眾生活、國家社會的活動管理，無不與天地間自然萬物的生化過程相符，人事與自然共享著相同的宇宙秩序。[15]為落實上述的推想，底下進一步觀察《群書治要》對於

---

13 道家與反智論的關係，參見余英時：〈反智論與中國政治傳統〉、〈唐、宋、明三帝老子注中之治術發微〉，《歷史與思想》（臺北：聯經出版事業公司，2004年），頁10-20、頁80-82。余先生討論的文本是唐玄宗的《道德真經疏》，而唐玄宗曾下令傳抄《群書治要》所引錄的《老子》經文，參見張瑞麟：〈立名存思：關於《群書治要》的編纂、傳播與接受〉，頁23-24。

14 王夫之的注語，參見〈老子衍〉，《船山全書》（長沙：嶽麓書社，2011年），第13冊，頁58。他將「以智治國」解作與天下相生，「不以智治國」解作與天下相守，處在天地之中，我與物的互動關係，就在這「生」與「守」的姿態中，不斷前行。此處，將「知白守黑」、「知子守母」、「稽式」、「玄德」連繫至海德格對於技術問題的兩面思考，參見張祥龍：《海德格》（臺北：康德出版社，2005年），頁302-303、頁323-327。

15 關於「河上公章句」之思想性質的討論，參見王卡：《老子道德經河上公章句》（北京：中華書局，2014年），頁1-14；神塚淑子，張施（譯）：《《老子》：回歸於道》（北京：生活‧讀書‧新知三聯書

《莊子》的使用情況。

三 《群書治要》中的莊子

《群書治要》僅引錄《莊子》外雜篇〈胠篋〉、〈天地〉、〈天道〉、〈知北遊〉、〈徐无鬼〉總計七段文字。[16] 在這裡，呈現的第一個消息是，一般認為「內七篇」從內聖到外王，從個體養生到人際關係的往來、政治場域裡的應對，再到身處於歷史、天地、自然運化中的安立，其中之章節與段落彼此穿梭、相互發明，有一個首尾融洽的思想理路蘊含其間。相對的，「外篇」和「雜篇」則被認為是基於內篇思想而來的應用與發揮，其中雖不乏與「內篇」相互呼應佐證的精彩文字，但也不免出現各種差異化的歧出與發展。也就是說，在面對《莊子》文本的時候，亦如《老子》文本的處置，《群書治要》同樣略過了那些可能會引發讀者產生更多想像與思考的表述。學者方勇便指出，《群書治要》摘取了〈徐无鬼〉的一段文字：

> 夫為天下者，亦奚以異乎牧馬者哉？亦「去其害馬者」而已矣。[17]

為政之道在於「去其害馬者」，然而，這個「去其害馬者」的意思，究竟是說：要去除那些害群之馬？還是說，要拿掉那些會傷害自然本性的人為措施？這裡蘊含著兩種截然不同的政治態度。如要刊定（或者活讀）此處的語意，就必須回到完整的上下文，當童子說，游於「六合之內」容易目眩神迷，患有偏頭痛，為天下者當游於「六合之外」，忌諱隨意生事。讀到這裡，我們便可以掌握，所謂的「去其害馬者」說的應當是〈馬蹄〉篇的意思，以伯樂之治馬，天下未成，百姓已經死傷過半。然則，上述這段核心的表述，卻被魏徵給刊落了，僅僅留下「去其害馬者」的兩可語意。[18]

進一步檢視《群書治要》選錄的文字，大抵可以分成兩種相互關聯的表達，一者是闡述聖人（君王）順應「天地之道」的自然無為，比如：

店，2021年），頁39-46。簡言之，河上公章句相信政教之道（人間的種種活動）根源於自然宇宙秩序，故而，人道與天道相通，君王的首要任務是去促成自身與百姓符合天地運行的規律。這樣的想法，有類於張灝在討論漢代儒家思想時，所指出的「宇宙神話」（cosmological myth），「相信人世的秩序是植基於神靈世界和宇宙秩序的一種思想。這種神話相信宇宙秩序是神聖不可變的，因此它也相信人世秩序的基本制度也是不可變的。」〈超越意識與幽暗意識──儒家內聖外王思想之再認與反省〉，《幽暗意識與民主傳統》（臺北：聯經出版事業公司，2006年），頁39。

16 關於《群書治要》對《莊子》的引用情況與性質判讀，亦可參考方勇：《莊子學史（第1冊）》（北京：人民出版社，2008年），頁515-519。

17 〈徐无鬼〉的節選文字，參見《群書治要譯注》，第22冊，頁104；完整的文獻，對照《莊子集釋》（臺北：河洛出版社，1974年），頁830-833。

18 參見方勇的討論，《莊子學史（第1冊）》，頁517-518。

（1）天地有大美而不言，四時有明法而不議，萬物有成理而不說。聖人者，原天地之美而達萬物之理。是故至人無為，大聖不作，觀於天地之謂也。[19]

（2）天德而土寧，日月照而四時行，若晝夜之有經，雲行而雨施矣。……夫天地者，古之所大也，而黃帝、堯、舜之所共美也。故古之王天下者，奚為哉？天地而已矣。[20]

另一種則是設想，曾經有一個上古至德之世，當是時也，無須特別標舉仁義禮智，百姓自然能安其居、樂其俗，而今恰好相反，對於道德賞罰、美好名聲的強調，反而帶來了各種趨利避害的反效果：

（3）今遂至使民延頸舉踵曰：「某所有賢者」，贏糧而趣之，則內棄其親而外去其主之事，足跡接乎諸侯之境，車軌結乎千里之外，則是上好知之過也。上誠好知而無道，則天下大亂矣。[21]

（4）昔堯治天下，不賞而民勸，不罰而民畏。今子賞罰而民且不仁，德自此衰，刑自此立，後世之亂自此始矣。[22]

原則上，後面這類文獻可以看成是《老子》第38章「上德不德，是以有德；下德不失德，是以無德」的呼應，而值得注意的是，河上公就是從君王之治理方式的差別來區分「上德」與「下德」，「上德謂太古無名號之君……因循自然，養人性命，其德不見」、「下德謂號謚之君……不失德者，其德可見，其功可稱也」[23]，亦即上古時代的君王，因為能夠因循自然、德和天地，便不需要強調其德行與稱名，故而無名無號（「不德」），相反地，後世之君王每每施以教令，強調其功勳，故而以各種「德名」行於世（「不失德」）。[24]

上面這兩種表述，不論是強調「順應天地之道」，還是說明「無為而治」，都可以綰合在「人事與天道相通」這一命題上，真正需要辨析清楚的是：當我們主張人事與天道相互關聯時，這中間的繫結和做動關係是什麼？由此，我們得以進入〈天道〉篇這兩段充滿爭議的文字：

19 《群書治要譯注》，第22冊，頁102；亦見〈知北游〉，《莊子集釋》，頁735。
20 《群書治要譯注》，第22冊，頁100；亦見〈天道〉，《莊子集釋》，頁476。
21 《群書治要譯注》，第22冊，頁85；亦見〈胠篋〉，《莊子集釋》，頁357-359。
22 《群書治要譯注》，第22冊，頁91-92；亦見〈天地〉，《莊子集釋》，頁423。
23 引文參見《老子道德經河上公章句》，頁147。
24 相較之下，王弼主要還是把「上德」與「下德」讀成個體修養方式的區別：「『上德』之人，唯道是用，不德其德，無執無用，故能有德而無不為。不求而得，不為而成，故雖有德而無德名也。『下德』求而得之，為而成之，則立善以治物，故德名有焉。」《老子四種》（臺北：大安出版社，2014年），頁32。

（5）夫帝王之德，以天地為宗，以道德為主，以無為為常……故古之人貴夫
「無為」也。上無為也，下亦無為也，是下與上同德，下與上同德則「不
臣」；下有為也，上亦有為也，是上與下同道，上與下同道則「不主」。上
必「無為」而用天下，下必「有為」為天下用，此不易之道也。[25]

（6）本在於上，末在於下；要在於主，詳在於臣。……君先而臣從，父先而子
從，兄先而弟從，長先而少從，男先而女從，夫先而婦從。夫尊卑先後，
天地之行也，故聖人取象焉。……夫天地至神，而有尊卑先後之序，而況
人道乎！……以此事上，以此畜下，以此治物，以此修身，知謀不用，必
歸其天，此之謂太平，治之至也。[26]

對後世許多《莊子》讀者來說，這兩段文獻與他們心目中的莊周形象不甚吻合，或者至
少必須說，這兩段文字乃是一種對於莊子哲學的特殊閱讀。[27]其特殊處在於，第一段文
獻語意相當清晰地將「無為」劃給了君王，將「有為」歸於臣下，並且嚴詞批評對這兩
種行動模式的混淆。如若做臣子的，也跟著君上一樣「無為」，喚作「不臣」；做君王
的，如果跟著臣下一樣事事「有為」，稱作「不君」。對這段文字的作者來說，上與下、
兩種身份行動模式截然不同，不可輕易改動（「上必『無為』而用天下，下必『有為』
為天下用，此不易之道也」）。凡此，正如王夫之所言，原先老、莊並不是要將「無為」
講成一種固定不變（甚至專屬於某種身份人物）的行動模式，比如在《老子》首章，
「有」與「無」是玄之又玄的辯證關係，在〈山木〉篇裡，「有用」跟「無用」構成無
肯專為、不落一端的遊走狀態。但是，在這段文字裡，「無為」和「有為」被清楚地劃
分為「用」與「被用」的關係。[28]此外，如果我們不太陌生的話，這樣一種表述，正好

25　《群書治要譯注》，第22冊，頁93；亦見〈天道〉，《莊子集釋》，頁465。

26　《群書治要譯注》，第22冊，頁96-98；亦見〈天道〉，《莊子集釋》，頁467-471。

27　歷來，歐陽修、王夫之、胡文英、錢穆、關鋒、馮友蘭、李勉等學者皆以為這兩段文字的意涵與莊
學不類，王夫之：「此篇之說，有與莊子之旨迥不相侔者，特因老子守靜之言而演之，亦未盡合於老
子，蓋秦漢間學黃老之術，以干人主者之所作也。」〈莊子解〉，《船山全書》，第13冊，頁236。錢穆
亦云：「此皆晚世儒生語耳，豈誠莊生之言哉？」《莊子纂箋》（臺北：東大圖書出版公司，1993
年），頁106。相關討論，參見陳鼓應：《莊子今註今譯》（臺北：臺灣商務印書館，2000年），頁358-
360；劉榮賢：《莊子外雜篇研究》（臺北：聯經出版事業公司，2004年），頁367-368。從道家哲學的
詮釋史來看，底下我們即將展開討論的這段文獻，其思想內容並不新鮮，池田知久認為道家與政治
的結合，在過往發展出三種類型：拒絕政治、烏托邦、中央集權，它們可以說是道家學派內部的不
同路線。其各自的主張也都可以在老莊文本中，找到一定程度的文獻支持，很難說誰才是真正的
「原意」。參見池田知久：〈三種類型的政治思想〉，《道家思想的新研究──以《莊子》為中心》（鄭
州：中州古籍出版社，2009年），頁477-526。

28　參見王夫之：「『無為』固老莊之所同尚，而莊子抑不滯於『無為』，故其言甫近而又遠之，甫然而又
否之，不示人以可踐之跡。……此篇以『無為』為君道，『有為』為臣道，則剖『道』為二，而不休
於天鈞。」〈莊子解〉，《船山全書》，第十三冊，頁236。

與〈論六家要指〉同調，發生在西漢初期，有關於「儒家」與「（黃老）道家」誰更適合拿來治國的幾場爭論裡，司馬談對於儒家的批評，恰好是說：儒者的主張往往致使主勞而臣逸，甚至多勞而少功，相反地，道家因為「其術以虛無為本，以因循為用」，可以替君王提供一種事少而功多的牧民辦法，所謂：「虛者，道之常也；因者，君之綱也。群臣并至，使各自明也」。[29]

第二段文獻區分出本末關係，同時將相關的人事等級秩序，推源於天地自然運化的規律。首先，「本-末」這組詞彙的原始語意就是樹根與枝葉，而「樹根與枝葉」是形上學理論經常會使用到的隱喻，正如我們觀察自然界的植物，根莖是其養分的來源，花果只是這根基的產物，其意涵是支配與被支配、奠基者與被奠基者、創造者與被創造者的關係。當這個隱喻結構轉成政治方向的運用，其中的支配者往往被解釋為能夠掌握形上學原理的君王，被支配者則是受君王治理的百姓萬民（「本在於上，末在於下；要在於主，詳在於臣」）。[30]接著，文獻進一步將人事的等級秩序推源於自然界的變化規律，這裡出現了一段極重要的表述說道：「夫尊卑先後，天地之行也，故聖人取象焉」，也就是說，社會生活中的各種上下、前後、尊卑等禮法秩序，它們不是「人為的」而是「天然的」，因為這些「天理」本身就是天地之行（自然界變化生成）的文理，再由聖人將其給取象出來，頒訂成為我們每個人必須遵守的生活規範。[31]也正是最後這一段話語，解答了前文不斷在追問的機制問題：為什麼《群書治要》的編纂者可以主張「君無為而民

---

29 引文參見〈太史公自序〉，《史記全注全譯》（天津：天津古籍出版社，1997年），頁3354。關於司馬談和黃老道家的討論，參見池田知久：《道家思想的新研究——以《莊子》為中心》，頁114-118；余英時：〈反智論與中國政治傳統〉，《歷史與思想》，頁10-20。

30 關於樹根與枝葉作為形上學結構的隱喻，參見海德格的討論：〈回到形上學基礎之路〉，收在考夫曼（Walter Kaufmann）：《存在主義哲學》（臺北：臺灣商務印書館，1993年），頁255-275。此外，海德格機智地指出，在這個隱喻畫面裡，真正能給出養分的不是樹根，而是大地，那些包圍著樹根的土壤。

31 池田知久指出，關鍵在於觀察文獻如何描述「天道」與「人道」的關係：在《莊子》的一些篇章裡，人道隸屬於天道，天道成為人事活動的張本；然而，在另一些篇章裡，天道與人道有著相互對立的互詮關係。參見《道家思想的新研究——以《莊子》為中心》，頁502。另外，審查人提到，如果不將《莊子》中的「理」解作普遍原理，類似「理」或者「天理」這樣的措辭，該如何理解？筆者的答覆是，先秦文獻中的「理」未必要解作同一性的原理，其尚有作為動詞使用的「治理」與事物身上各自不同的「文理」，三種語意并存。參見陳榮捷的討論：〈新儒學「理」之思想之演進〉，《王陽明與禪》（臺北：臺灣學生書局，2019年），頁23-29。再者，《莊子》文獻中的「理」可能同時存在「普遍」與「眾殊」兩種解釋空間，前者如「爾將可與語大理」（〈秋水〉），後者如「萬物殊理」（〈則陽〉）。在探索「差異與共存」的問題意識之下，「理」字更多地被解釋為後者，比如方萬全便認為〈養生主〉：「依乎『天理』，批大郤，導大窾，因其固然」，其中「天理」二字必須依底下的「固然」做解，亦即，天理指的是事物身上的不同紋理，不同的牛體身上有著各種不同的肌理，庖丁之解牛總是在接應各種現成的結構，將其逐一化解，故曰「因其固然」。參見方萬全：〈莊子論技與道〉，《中國哲學與文化》第6輯（桂林：廣西師範大學出版社，2009年），頁278-282。

自化」？現在，我們很清楚看到，這套理論背後預設著一組特殊的天人關係，以「天道」作為「人道」（或者更準確地說是「君民之道」）的基礎。

四　如何定位《群書治要》中的老、莊形象？

以上，文章嘗試將《群書治要》中的老、莊形象界定為漢代黃老道家式的政治思考，我的理由是：在《群書治要》對老、莊的摘錄中，我們經常讀到一種「上無為而下自化」的主張，若進一步考察該主張背後的做動機制，魏徵等人似乎沒有意識到「有」、「無」、「玄」這些概念彼此之間有著動態、不可分割的弔詭辯證關係，在其編輯手法下，這樣的關係要不被忽略刊落，要不就是被割裂分配、限定在特定的角色身份裡。繼而，角色身份背後的等級秩序其實就是形上學秩序，後者以「天道」（天地間，萬物無不如此的運作規律）為名，作為其得以指揮人間秩序的根據。

然而，筆者上述的推想，未必公允，底下我們嘗試回應另一種意見。在《貞觀政要》這本紀錄唐太宗與其大臣互動的史籍裡，經常能夠讀到一種察納雅言、反恭自省的表達。[32]同時，亦有研究者指出在《貞觀政要》裡不僅有著「以民為本」的想法，甚至還出現了「君臣共生」的表述。[33]前者如貞觀十八年，唐太宗曾告誡世子：

> 舟所以比人君，水所以比黎庶，水能載舟，亦能覆舟。爾為人主，可不畏懼？[34]

後者如貞觀五年，唐太宗與群臣云：

> 今天下安危，繫之於朕。故日慎一日，雖休勿休。然耳目股肱，寄於卿輩，既義均一體，宜協力同心，事有不安，可極言無隱。[35]

另一段更為落實的講法是，貞觀十四年，魏徵上疏道：

> 臣聞君為「元首」，臣作「股肱」，齊契同心，合而成體，體或不備，未有成人。

---

32 類似底下的君臣互動，在《貞觀政要》並不少見：「徵曰：『君之所以明者，兼聽也；其所以暗者，偏信也……人君兼聽納下，則貴臣不得壅蔽，而下情必得上通也。』太宗甚善其言。」、「太宗謂侍臣曰：『朕每日坐朝，欲出一言，即思此一言於百姓有利益否，所以不敢多言。』」《貞觀政要集校》（北京：中華書局，2003年），頁13、頁335。

33 完整的討論，參見林朝成：〈《群書治要》與貞觀之治──從君臣互動談起〉，頁119-121；林朝成：〈《群書治要》與貞觀之治──以「牧民之道」為例〉，《成大中文學報》第68期（2020年3月），頁129-134。

34 語見《貞觀政要集校》，頁213。除了舟水之喻，另一段更具闡釋潛力的文字是魚水關係，魏徵云：「孔子曰：『魚失水則死，水失魚猶為水也。』故堯、舜戰戰慄慄，日慎一日，安可不深思乎？安可不熟慮乎？」，《貞觀政要集校》，頁405。

35 《貞觀政要集校》，頁33。

然則「首」雖尊高，必資「手足」以成體；「君」雖明哲，必藉「股肱」以致
理。故《禮》云：「人以君為心，君以人為體，心莊則體舒，心肅則容敬。」[36]

然而，我以為類似這樣的表述，還未能把相關議題的思考潛力，推到當代社會生活所需
的語境裡。首先，關於「共生」命題的討論，按照黃俊傑先生的考察，以身體作為君臣
互動的比喻，早見於先秦、兩漢之典籍。且無論是「心──體之喻」，或是「元首──
股肱之喻」[37]，大抵都預設著相同的想法：作為前者（心、首腦）的國君，比起作為後
者（五官、四肢）的臣民，具有更高的優先性。正因為「五官」和「四肢」受到「心」
的指揮，「臣民」雖有其個別的職能擔當，說到源頭，也必須接受來自於「國君」的統
御。[38]

在這樣的身體隱喻裡頭，「君」與「臣」雖義均一體，儼然有著彼此需要的共生關
係，但仔細衡量其中的「共生」語意，隱含著精神、心靈、頭腦的優先性，以此作為形
質之軀體的領導，以形質之軀體來實現內心的想法，故曰：「君為元首，臣作股肱」。在
這裡，「君」是頭腦，是發號司令、進行構想的中心，「臣」是耳目手腳，負責蒐集信息
與執行任務。[39]儘管，魏徵強調精神與身體、君王與臣下兩者缺一不可，兩端共構成
「體」（「合而成體，體或不備，未有成人」、「『首』雖尊高，必資『手足』以成體；
『君』雖明哲，必藉『股肱』以致理」），但其真正想要闡明的是：「指揮者」與「被指
揮者」的合作關係。讓「一體」或者「國體」能夠順暢運作起來的原因是，內與外、中
心與邊陲、上與下、主與從的充分配合，也即是「人以君為心，君以人為體」。職是之
故，我們乃能理解，為什麼河上公要反覆強調：「聖人治國與治身同也」[40]，因為在

---

[36] 《貞觀政要集校》，頁402。

[37] 這些身體隱喻可以分成「心──體」和「元首──股肱」兩種，前者如：「君之視臣如手足，則臣視
君如腹心」（《孟子》）、「心之在體，君之位，九竅之有職，官之分也」（《管子》），後者如：「元首明
哉，股肱良哉，庶事康哉」（《尚書》）、「君之卿佐，是謂股肱，股肱或虧，何痛如之？」（《左傳》），
歷見於《尚書》、《左傳》、《禮記》、《孟子》、《荀子》、《韓非》、《呂氏春秋》、《春秋繁露》、《黃帝內
經》等先秦、兩漢之典籍當中。參見黃俊傑：〈古代儒家政治論中的「身體隱喻思維」〉，《鵝湖學
誌》第9期（1992年12月），頁4-7。

[38] 身體中的各器官雖有其相互依賴的一面，卻仍以「心靈」為首出，這種身體思維既可以發展出「不
忍人之心」的民本政治，也可以發展成強調「君權」的專制政體，大抵而言，戰國晚期之後，隨著
秦、漢帝國的出現，後者取得了主要的解釋地位。參見黃俊傑：〈古代儒家政治論中的「身體隱喻思
維」〉，頁19-23。黃俊傑：〈中國古代思想史中的「身體政治論」：特質與涵義〉，《東亞儒學的新視
野》（臺北：臺大出版中心，2004年），頁357-363。

[39] 君臣之互動仿效身體運作的分工機制，從而達到「斂手無為而天下治」的效果，此如荀況和韓非所
言：「故天子不視而見，不聽而聰，不慮而知，不動而功，塊然獨坐而天下從之如一體，如四肢之從
心，夫是之謂大形。」（《荀子·君道》）、「耳目鼻口形能各有接而不相能也，夫是之謂『天官』。心
居中虛，以治五官，夫是之謂『天君』」（《荀子·天論》）、「明君之道，使智者盡其慮，而君因以斷
事，故君不窮於智；賢者敕其材，君因而任之，故君不窮於能。」（《韓非子·主道》）。

[40] 語見〈老子河上公注〉，《老子四種》，頁4。

「朕一人」、「家天下」的古典時代裡，君王的治身就是治國，從小處來說，由一個有修養的君王領頭，才能夠開啟貞觀之治，從大處來說，國家的治理方式就像是身體的運作機制，有負責指揮判斷的大腦（元首、君、心），有捲起袖子來分工做事的人（手足、股肱、耳目口鼻），兩方彼此相互協力，才能使帝國運作起來。[41]

接著，是關於「以民為本」的討論，前文已經指出，這樣的君臣互動模式是基於「心靈」對於「身體」的治理想像而來，故而，即便它不發展為上對下、單一中心的專制政體，其以不忍人之心所展開的「民本」思想，也只是一種訴諸聖君賢相的牧民政體，在這之中，管理者與老百姓之間並不具有真正平等的對待關係。林毓生先生有一個相當清晰的說明，「民本」思想仍是一種父母親對待孩子的心態，管理者自視為父母官，他將百姓看成是有待教養與引導的童蒙（愛民如子、視民如傷）。儘管，中國古代確實有著「民為貴」、「天聽自我民聽，天視自我民視」的說法，它提醒那些稟受天命的君王：其與百姓之間有著共生共成的關係。然而，從國史的發展來看，在推翻昏君之後，參與政治的權利從未分入天下人手中，我們只是再找到另一個理想的君王接手統治。換句話說，這種古典政治型態，並不肯定個體性，也不假定每個人都有參與政治的基本能力，然則，後者卻是當代社會構成各種社群關係的基本預設。[42]簡言之，古典所謂「君臣共生」的語意，仍為單一中心的政治型態服務，它與當代生活基於對每個個體的尊重，面對多元衝突進行思考的差異共存，僅具有表面的相通，兩者背後的結構脈絡完全不同。

當然，脈絡不同卻蘊含著思想潛力的古典命題，在經過一番批判性的創造轉化之後，同樣可以協助吾人在保有文化認同的過程當中，回應與接枝現代生活的種種難題。[43]底下，我們嘗試探索：在哪些文獻的解讀上，老、莊得以協助我們思考當代生活中的「共生」？

---

41 「國家整體好比人的身體，君或為首或為心，總之是居樞要的地位，百官百姓各有所當。不同部分決定了不同的角色功能與分位，也決定了彼此間的關係。因為身體是一有機的整體，所以國家需要每個人扮演不同的角色，相互為用，相需相成。但是身體的各部位，或說國家的各種分位，卻不只是合作關係，更是一種支配關係。心（大體）支配身體的其他部位（小體），這關係的確立，反映了社會關係中君對於臣民的支配。」引自王健文：〈國君一體——古代中國國家概念的一個面向〉，楊儒賓（編）：《中國古代思想中的氣論及身體觀》（臺北：巨流出版社，1993年），頁259-260。

42 參見林毓生的討論：〈新儒家在中國推展民主的理論面臨的困境〉，《政治秩序與多元社會》（臺北：聯經出版事業公司，1989年），頁337-349；〈民主自由與中國的創造轉化〉，《思想與人物》（臺北：聯經出版事業公司，2001年），頁279-285。

43 這是林毓生的另一個著名提法，傳統與現代在混雜過程中的「創造性轉化」。在筆者看來，它相當接近當代莊子學所謂的「跨文化批判」。參見林毓生：〈什麼是「創造性轉化」？〉，《政治秩序與多元社會》，頁387-394。

者」，沒有「中心」[67]，且承認個體認知的有限性，所以更能夠協助我們思考社會生活中的差異與共存。

---

67 參見〈齊物論〉一段討論身體隱喻的文字，「百骸、九竅、六藏，賅而存焉，吾誰與為親？汝皆說之乎？其有私焉？如是皆有為臣妾乎？其臣妾不足以相治乎？其遞相為君臣乎？其有『真君』存焉？如求得其情與不得，無益損乎其真。」《莊子集釋》，頁55-56。《莊子》企圖瓦解儒家式的身體想像，他質問道，百骸、九竅、六藏其中有一個是不重要的嗎？而即使在身體裡找不到「真君」，也無礙於你、我正栩栩如生地活著，這麼一件事實。

徵引文獻

一　原典文獻

西漢・司馬遷：《史記全注全譯》，天津：天津古籍出版社，1997年。

魏・王　弼：《老子四種》，臺北：大安出版社，2014年。

唐・魏　徵等：《群書治要譯注》，北京：中國書店，2011年。

唐・吳　競：《貞觀政要集校》，北京：中華書局，2003年。

北宋・王　溥（撰）：《唐會要》，上海：上海古籍出版社，2006年。

明・陸西星：《南華真經副墨》，北京：中華書局，2016年。

明・憨　山：《莊子內篇注》，武漢：崇文書局，2015年。

清・郭慶藩：《莊子集釋》，臺北：河洛圖書出版公司，1974年。

錢　穆：《莊子纂箋》，臺北：東大圖書公司，1993年。

陳鼓應：《莊子今註今譯》，臺北：臺灣商務印書館，2000年。

陳奇猷：《韓非子新校注》，上海：上海古籍出版社，2013年。

蒙文通編：《道書輯校十種》，成都：巴蜀書社，2001年。

王　卡點校：《老子道德經河上公章句》，北京：中華書局，2014年。

二　近人論著

中島隆博：《《莊子》：化雞告時》，北京：生活・讀書・新知三聯書店，2022年。

方　勇：《莊子學史》，北京：人民出版社，2008年。

方萬全：〈莊子論技與道〉，《中國哲學與文化》第6輯，桂林：廣西師範大學出版社，
　　　　2009年，頁259-286。

王夫之：《船山全書》，第13冊，長沙：嶽麓書社，2011年。

王健文：〈國君一體——古代中國國家概念的一個面向〉，楊儒賓編：《中國古代思想中
　　　　的氣論及身體觀》，臺北：巨流圖書公司，1993年，頁227-260。

石井剛：《齊物的哲學：章太炎與中國現代思想的東亞經驗》，上海：華東師範大學出版
　　　　社，2016年。

任博克（Brook A. Ziporyn）等：〈《齊物論》的儒墨是非與兩行之道——弔詭、反諷、幽
　　　　默的不道之道〉，《商丘師範學院學報》第38卷第2期，2022年2月，頁1-20。

安樂哲（Roger T. Ames）、郝大維（David L. Hall），何金俐（譯）：《道不遠人——比較
　　　　哲學視域中的《老子》》，北京：學苑出版社，2006年。

池田知久：《道家思想的新研究——以《莊子》為中心》，鄭州：中州古籍出版社，2009年。

何乏筆（Fabian Heubel）等：〈氣論、體用論與牟宗三對理學系譜的再反思〉，《商丘師範學院學報》第39卷第1期，2023年1月，頁31-52。

余英時：《歷史與思想》，臺北：聯經出版事業公司，2004年。

李志桓：〈後形上學語意下的「道」：《莊子》文本中的「風」與「自我」構成〉，陳贇、賴錫三編：《《逍遙遊》的文本、結構與思想》，上海：華東師範大學出版社，2022年，頁52-78。

李志桓：〈風與麻風：試論莊子會如何思考生活本身的不確定性〉，《中國哲學與文化》19輯，上海：上海古籍出版社，2021年，頁183-211。

汪　暉：〈再問「什麼的平等」？（下）——齊物平等與「跨體系社會」〉，《文化縱橫》2011年第6期，頁98-113。

林朝成：〈《群書治要》與貞觀之治——以「牧民之道」為例〉，《成大中文學報》第68期，2020年3月，頁115-154。

林朝成：〈《群書治要》與貞觀之治——從君臣互動談起〉，《成大中文學報》第67期，2019年12月，頁101-141。

林毓生：《思想與人物》，臺北：聯經出版事業公司，2001年。

林毓生：《政治秩序與多元社會》，臺北：聯經出版事業公司，1989年。

海德格（Martin Heidegger）：〈回到形上學基礎之路〉，收入考夫曼（Walter Kaufmann）：《存在主義哲學》，臺北：臺灣商務印書館，1993年，頁255-275。

神塚淑子，張施譯：《《老子》：回歸於道》，北京：生活‧讀書‧新知三聯書店，2021年。

袁保新：《老子哲學之詮釋與重建》，臺北：文津出版社，1991年。

張祥龍：《海德格》，臺北：康德出版社，2005年。

張瑞麟：〈立名存思：關於《群書治要》的編纂、傳播與接受〉，《東華漢學》第33期，2021年6月，頁1-46。

張瑞麟：〈轉舊為新：關於《群書治要》的編纂與意義〉，《文與哲》第36期，2020年6月，頁81-134。

張　灝：《幽暗意識與民主傳統》，臺北：聯經出版事業公司，2006年。

梅　勒（Hans-Georg Moeller），劉增光譯：《東西之道：《道德經》與西方哲學》，北京：北京聯合出版公司，2018年。

陳榮捷：〈新儒學「理」之思想之演進〉，《王陽明與禪》，臺北：臺灣學生書局，2019年，頁23-68。

黃　芸：〈自由傳統的本土根基：對《莊子》內七篇的政治哲學解讀〉，《香港社會科學學報》第47期（2014年秋冬季號），頁29-82。

黃俊傑：〈中國古代思想史中的「身體政治論」：特質與涵義〉，《東亞儒學的新視野》，臺北：臺大出版中心，2004年，頁341-368。

黃俊傑：〈古代儒家政治論中的「身體隱喻思維」〉，《鵝湖學誌》第9期，1992年12月，頁1-25。

楊儒賓：《儒門內的莊子》，臺北：聯經出版事業公司，2016年。

葉維廉：〈語言與真實世界——中西美感基礎的生成〉，《比較詩學》，臺北：東大圖書公司，1983年，頁87-133。

廖育正：〈賽伯格莊子：物化主體、技藝與義肢〉，《中外文學》第50卷第1期，2021年3月，頁171-208。

劉榮賢：《莊子外雜篇研究》，臺北：聯經出版事業公司，2004年。

鄧育仁：《公民哲學》，臺北：臺大出版中心，2022年。

賴錫三：〈牟宗三對道家形上學詮釋的反省與轉向〉，《當代新道家》，臺北：臺大出版中心，2011年，頁107-171。

賴錫三：《道家的倫理關懷與養生哲學》，臺北：五南圖書公司，2021年。

戴卡琳（Carine Defoort），"The Snail and Its Horns: Practical Philosophy Inspired by the Zhuangzi," *Journal of Chinese Philosophy* 49 (2022), pp.358-372.

Brook A. Ziporyn, Zhuangzi: *The Complete Writings,* Indianapolis: Hackett Publishing Company, Inc., 2020.

用無如何可能？
從茶道哲學切入日常知覺的反轉*

林淑文

國立高雄大學通識教育中心兼任助理教授

摘要

　　本文旨在思索日常生活中「用無」如何可能?內文分成四個部分：一、反思《老子》第一章「道可道非常道」中「常」與「非常」的註解；二、探討「無用」在《莊子・逍遙遊》的三種層次；三、從「無用」到「用無」的過渡與反轉思考，並以「用」為核心反省「道」與「無」的關係，藉此開展器道關係；四、以茶道哲學為延伸思考的案例。全文思考的背景藉由船山思想貫穿其中作為反思理論的基礎，且透過日常的喝茶行動所展開的茶道哲學來提出用無的可能，以落實理論與反省實踐具體可行的行動。

關鍵詞：道、器、常、非常、用無、用無用、茶道哲學

---

*　感謝審查委員提供寶貴的審查意見與評論指教。內文第三節至五節主要思考背景與部分論述增補改寫於筆者博士後研究期間自行研究計畫：「用無與器道：從王夫之《莊子解》到茶道哲學I-II」（補助單位：國科會；學術指導：中研院文哲所研究員何乏筆」）。參考：林淑文、何乏筆：〈用無與器道：從王夫之《莊子解》到茶道哲學〉，陳贇、賴錫三主編：《〈逍遙遊〉的文本、結構與思想》（上海：華東師範大學，2022年7月），頁186-197。

How is it possible to "use withoutness"? From the Philosophy of the Way of Tea to the Reversal of Everyday Perception

Lin, Shu-Wen

Adjunct Assistant Professor, Center for General Education, National University of Kaohsiung

Abstract

The purpose of this paper is to consider how it is possible to "use withoutness/ nothingness" in everyday life. It is divided into five parts: Part 1 discusses commentaries on Chapter 1 of the Lǎozǐ, focusing especially on the relationship between "the constant" and "the extraordinary"; Part 2 is an exploration of the three levels of "uselessness" in the first chapter of the Zhuangzi; Part 3 reflects on the transition from "uselessness" to "he use of withoutness" and its reversal; and discusses the relationship between "Way/ Dao" and "withoutness"; Part 4 is a case study in the philosophy of the Way of Tea. The general background of this paper are reflections on important aspects in the thought of Wang Fuzhi, through which the possibility of "using withoutness" is developed, thus linking the philosophy of the Way of Tea to the common practice of drinking tea, theoretical discourse and a critical practice of daily cultivation.

Keywords: Way/ Dao, utensil/ instrument, constant, extraordinary, useless, uselessness, philosophy of the way of tea.

一 前言

　　本文的問題意識在於反省一般人著重「有」而忽略「無」。然而，僅只是著重在「思想」的層次，又容易落入以「無」為優先的思考模式。因此，本文首先對《老子》第一章進行反思，再以莊子無用進入逆轉與弔詭思想。前面兩節老莊的部分屬於思想的可能性。關鍵在於，透過王夫之（世稱船山先生，以下皆稱船山）的「用學」才讓逆轉進入可行性。思想與行動、理論與實踐是相互涵構。正因如此，本文最後提出「以無為用」的茶道哲學來切入對日常知覺的的反轉。在此所論茶道哲學不是一套系統性的知識理論或操作，而是一種覺行弔詭。[1]或者說，哲學作為一種生活方式，而茶道哲學是在日常不過的喫茶飲食中展現具有品味品質的生活方式。

二 《老子》第一章「常」與「非常」思想逆轉

　　《老子》第一章「道，可道，非常道；名，可名，非常名。」歷來註解多對此一首章首句的「常」解釋為固定、恆常不變的，因此，這句話通常被解讀為：可道出言說的「道」就不是「常道」，可稱謂命名的「名」就不是「常名」。這樣的解讀似乎以「道」為「常道」，道體即是一恆常固定不變的定體，而那可變動、會產生變化的並非真實、真理，甚至可說是幻象、虛假、虛擬、虛構的。「道」與所謂的真理、真實都是恆常不變、絕對唯一的。「常道」是真，「非常道」是假，是一種真假對立的觀點，或說是「非常道」（假）是具貶抑的負面意義，而「常道」是值得讚揚與追求的正面意義。「道」這個概念所呈現的「常道」與「非常道」往往也用來說明「形而上者謂之道，形而下者謂之器」的形而上者／道與形而下者／器的區分。前者指的是恆常固定的常道（體），後者指的是可道說、可用的「非常道」，亦並非恆常固定的道（用）。兩者的上下區分呈現出真與假及體與用的對立與斷裂。面對這樣的解讀與問題，在思想史上，宋明儒學因應當時代的處境，一方面排斥佛道，另一方面也深受佛道影響，雜揉儒釋道思想提出體用論來說明此兩者的關係，並試圖解決此兩者之間的斷裂區分。

　　不同於傳統註解，賴錫三教授指出：「《老子》首章首句便表示出，與時俱變、化而不固的活動歷程之『道』，雖可暫時性用某方式加以實踐（例如行走出某條道路出來），但這種特定化的運用與呈現（『可道』），卻不宜被恆久固定下來（『非常道』）。」[2]別出

1　「覺行弔詭」一詞來自何乏筆的使用。參考：楊儒賓、賴錫三、何乏筆：〈「何謂遊之主體？」對話紀錄〉（劉思好整理、何乏筆校訂），《中國文哲研究通訊》第27卷第1期（2017年3月），頁91-108。

2　賴錫三：《《老子》做為一種共生哲學——為共生而承認無知，為共生而承擔柔軟——》，頁3，發表於「老子跨文化研究工作坊」專題演講（臺北：中研院文哲所，2022年7月21日）。

新意跳脫了過往傾向高舉形而上者的道體。直指出「可道」是「非常道」，是「不宜被恆久固定下來」。這樣解讀反轉一般的思考，著重「道」的歷程性與變動性。不同於歷來註解之處，在於對「非」的解釋不同，將以往對「可道」為「非常道」的解讀「不是恆常不變的道」轉變成「不宜被恆久固定下來」，似乎從是什麼或不是什麼的本質性界定，轉成為宜與不宜（適宜與否或妥善與否）具價值判斷意涵的倫理態度。歷來解讀是以「道」為主詞／主體來界定道。在此，反過來將「道」視為受詞或以體道者（觀道者／行道者）為主體／主動來闡釋，以此體「者」之行動與感受取代了道體的本質性描寫。這兩種的差別在於，一是將「道」視為一種客觀性存在，無關乎任一體者的參與；一是著重於體者參與其間的變化性，「參萬歲而一成純」（《莊子・齊物論》）萬物的道理脫離不了萬物參與其間所顯出的關係性。然而，這似乎使得「道」易淪為過程性產物的危險，而此種過程性思維[3]正是戰後唯恐落入法西斯主義的集權政治的源頭。因此，僅只是翻轉僵固的思想恐怕尚不夠透徹。因為，這僅僅是角度或面向改變所帶出論述方式不同，還不是反轉或逆轉思考「道」，似乎對《老子》「反者道之動」還不到味。

　　《老子》的首章首句，可說是整部經典的提綱挈領。若要緊扣對於「道」的反轉或要凸顯其弔詭思想，我認為「非－常」的思考方式極其關鍵。「非（常）」與「常」是相互函轉、相生相成的關係，並可進一步透過「非常道」來肯定「可道」：一方面是指「非－常道」（不是恆常不變的道），另一方面也是「非常－道」（不同一般的道）。「道」包含了「可道」的向度，而「可道」是非常／弔詭／不正常之道。《老子》八十一章，五千字，便在第一章提綱挈領地強調，這些書寫這些語言文字皆是「可道」，「可道」（非常道）才是我們要行走要談論的道（「道之出口」《老子・35章》）。整部《老子》所提到各種意象正是在說明這種我們可體會、可實踐、可學習、可行走，誠屬難能可貴的「道」：「可道」（非常道）。

　　賴錫三教授認為[4]「這些暫時施行出來的道路途徑（『可道』）和指示路標（『可名』），雖有其功能性、合理性的運用脈絡，但不宜將特定脈絡的『可道』與『可行』給予膠定下來，更不宜將它們封閉、執定成為『常道』、『常名』。」儘管，他強調「可道」是「權用過程」，是透過「非」來「除病」、「去執」、「去蔽」停留在「非－常道」而忽略了逆轉過來「可道」是「非常－道」。值得留意的是，他對「可道」的解釋打開

3　〔瑞士〕畢來德（Jean François Billeter）的莊子研究也表示，過度強調過程性思維的「中國氣論」容易導向法西斯主義。〔法〕朱利安（François Jullien）認為中國沒有哲學只有思想，而且是一種過程性的思想，因而在政治上導致極權共產主義。參閱：何乏筆（Fabian Heubel）：〈氣化主體與民主政治：關於《莊子》跨文化潛力的思想實驗〉，收入何乏筆主編：《跨文化漩渦中的莊子》（臺北：國立臺灣大學出版社，2017），頁333-383。

4　賴錫三：〈《老子》做為一種共生哲學──為共生而承認無知，為共生而承擔柔軟──〉，頁4，發表於「老子跨文化研究工作坊」專題演講（臺北：中研院文哲所，2022年7月21日）。

了讓我們可以進一步思考的空間，也就是透過翻轉思考「可道」有所特定性，所具有可實踐的面向，可將「可道」和「非常之道」聯繫起來。

> 老莊對「道」與「名」（或者「道」與「言」）的反省，可以提供一個反諷的畫面，因為老莊以「道家」為名，剛好因為道家走出「常道」、擁有「常名」的自我標榜與宣示，老莊謙卑柔軟地知道自己從未擁有任何唯一的真理之道，也從未擁有絕對超然的真理之言，甚至認為「道之為道」、「名之為名（言之為言）」，其本質就具有脈絡性、方便性的「變化不定」特質，因此不可能有任何唯一、恆常之道，可被佔有，也不可能有任何唯一、恆常之名，可被據有。道家之所以為道家，反而在於它提醒我們：「未始有封」的「非常道」，「未始有常」的「非常名」的無限大空間，藉由「非常」、「無常」的解蔽而開放心胸和想像，以容納各種道路開闢的實驗性嘗試，容納各種言論觀點的嘗試性提出，也就是說道家的「道」與「言」，永遠保留容許歧路、容納異議的「餘地」。[5]

在兩者的聯繫過程，「可道」正好便是讓我們可寓、可居，亦可遊的「無（定）體」。我們並不是要拋棄或遺忘此一「可道」。相反地，之所以可以在有限之地展開無限的可能，必在於「寓諸無竟」、「寓諸庸」。「可道」的可呈現可實踐便是「非常之道」，同時也是「無竟」之地，是所謂的「環中」。

三　《莊子‧逍遙遊》「無用」的三層意涵及其反思

對上一節有關「可道」（非常道）的反轉解讀，「用」是至關重要的中介關係。透過可實踐、可言論、可習練的諸種「用」，工夫與修養的面向就此展開。《老子》首章論「道」之所以經常從存有／本體論的角度切入，主要也在於緊接著第二句以「無」與「有」來呈現。因而，在註解傳統上易傾向宇宙論與本體論來闡述老子的道。然而，如果我們重新思考「用」在解讀脈絡上的重要性，那麼便可透過「無用」或是「用無」的思想來連接「道」與「無」的關係。《老子》各章安排在結構與內容上不僅凸顯抽象思想同時也呈現種種具體意象。或說是，「道」與「器」相互呼應相互呈現。特別在《老子‧十一章》透過種種日用平常的生活之物用來說明再平常不過的道器關係「三十輻，共一轂，當其無，有車之用。埏埴以為器，當其無，有器之用。鑿戶牖以為室，當其無，有室之用。故有之以為利，無之以為用。」正因為是再平常不過的道理，所以經常地被我們所忽略，也因此易認為這些意象僅是對大道的「隱喻」。使得形而下者之「器」（物）不被重視，而在價值等地上淪為次等。

5　賴錫三：《《老子》做為一種共生哲學——為共生而承認無知，為共生而承擔柔軟——》，頁5。

　　若要能以「用」作為中介嵌結來思考器－道、有－無的關係，特別是從「用」過渡到「無用」及其關係的思考。那麼，從《莊子》故事性的敘事方式可尋得相關的具體資源。尤其，首篇〈逍遙遊〉便已呈現「無用」不同層次的意涵。

　　「無用」的第一層意涵是我們對「有用」與「無用」往往持有對比的想法，亦即需限定在某一特殊情境或是特定脈絡。最為顯著的就是文明與野蠻的對比，來自禮儀之邦的宋人進入原始純樸的越人地域，宋人在越人之地販賣代表著文明的帽子，對越人而言，帽子其實是「無所用」之物。[6]在此，「無用」的第一層意涵有著特定的時空脈絡，亦即在某一特定情境下是「有用」，而在另一種特定情境下卻是「無用」：「物」一旦脫離特定時空脈絡下的「有用」，就成了不合時宜的「無用」。同一物在不同的情境下會產生有用與無用的差異，而且如果無法去體認理解這種變化的人，即會被認為是「無知」者。當然，在這個故事中，似乎也表達一味地以價值等級的優越性將文明強行帶入反而是一種蒙昧無知，而這種無知定會帶來損傷。宋人的例子或許只是賺不到錢，然若是一種文化優越或是物種優越恐怕就是歷史的災難或是自然的災難。

　　惠莊有關種植大瓠的討論表達出「無用」的第二層意涵。惠子跟莊子抱怨自己所擁有的葫蘆是大而無用，大到毫無用處可言，「為其無用」[7]。莊子以「不龜手之藥」[8]的故事來回應惠子只能「知有用之用」而不「知無用之用」[9]，提出「有用」與「無用」的對照。「不龜手之藥」故事中的「無用」所顯現的意涵乃是隱潛與顯現的關係，是「隱－顯」相反而相涵的關係。一物之所以被視為「無用」，是因為「有用」之處「隱而未形」，亦即物的用處尚未被發現和發揮，而之所以無法發揮物的可用處，往往在於使用者自己的問題，執著於所認定的「有用」而冥頑不靈，囿限於「有己」的特定立場，而與「無己」有所斷裂。在此，「無用」隱沒於顯著的「有用」之中，只是人們經常停滯於眼前可見的「顯（有）」（無隱性）而忽略不可見的「隱（無）」（有隱性）。所謂「用之異」不過是用大（「以封」因用而封侯）與用小（「洴澼絖」世代以漂絮為生）。據此，莊子乃著眼於惠子的功利思考而建議「以為大樽而浮乎江湖」[10]則能走出「固拙於用大」。若要「用大」就不能停滯在特定的「小用」，不能只是停留於眼前所見、只看見一般人習以為常顯現於表象的用，而是要能夠因應「物」自身的道理來突破現有的使用框架。不論是不龜手之藥或是大瓠之用皆是轉換不同的想法，將物尚未被看見，還是隱密潛在的部分，轉而使其無所隱，將其顯現出來，而得以有所用。船山註解指出，「不龜手之藥，人見為小；困於無所用，則皆不逍遙也；因其所可用，則皆逍遙

6　郭慶藩：《莊子集釋》（北京：中華書局，2007年），頁31。往後引用皆以《莊子集釋》加頁數標示之。

7　《莊子集釋》，頁36。

8　《莊子集釋》，頁37。

9　《莊子集釋》，頁186。

10　《莊子集釋》，頁37。

耶。其神凝者：不驚大，不鄙小，物至而即物以物物。」[11]船山對「無用」的第二層意涵的思考已然隱含著兩種重要的啟示，其一是「無－用」與「隱－顯」的連結，其二是「以物之自物者而物之」[12]所指的「道－器（物）」關係。據此，可進一步展開「無－有」、「無用－有用」、「隱－顯（無隱）」有無相涵的弔詭關係。

〈逍遙遊〉末段惠子與莊子的對話觸及「無用」的第三層意涵。惠子以巨大無規矩的「樗」和「樹」為喻批評嘲諷莊子：「今子之言，大而無用」。對此，莊子亦能自嘲以「樹之於無何有之鄉」[13]來回應惠子。對話在此曲折中轉進「用－無用」的弔詭格局。莊子之能在於以他人嘲諷轉為自我嘲諷同時反諷他人。莊子之能在於將他人所認定的無用轉化為自我的有用。《莊子‧逍遙遊》的大樹不只是一棵特定的大樹。此非特地的大樹，能「樹之」任何地方，能「逍遙乎寢臥其下」[14]。這不再僅限於某一特定性，某一特定情境的「用」，而是具有無限可能的。弔詭地，此大樹可能種植在任何地方，同時也無法輕易地移植到任何地方。此大樹及其所植之處便是我們生命中的「無何有之鄉」，是為我們處在「無」與「有」之間模糊曖昧的「存在」所開啟的通道。在此，第三層意涵指出，能「用無用」才是真逍遙。然而，「樹之於無何有之鄉」美則美矣，卻也引發各種荒謬無理的懷疑和衝擊。不禁讓我們質疑，這果真是可能的嗎？

事實上，當我們看莊子以寓言的故事敘述方式來表達思想，生動之餘亦容易產生一種荒謬詭譎的感受，無論是有關「大瓠」或有關「大樹」的對話，莊子建議採用「無用」方案，感覺都像是來「亂」的，都讓人引起荒謬而不可行的質疑。「大瓠」怎麼可能「為大樽而浮乎江湖」？！如同惠子在對話中所表述，這個大瓠容易破裂，因此以大瓠為大樽來漂浮於江湖之上，顯然不可行。儘管，莊子理直氣壯地建議惠子如何「用大」，或如何發揮「所用之異」，甚至反諷惠子「夫子猶有蓬子之心也夫」。然而，莊子所建議的「用－無用」並非那麼的理所當然，就像是一種瘋癲的幻想，是一種超乎想像力的發揮，也讓我們觸及「用無用」的不可能性。

大樹的例子有著和大瓠相同的思考結構。莊子說：「今子有大樹，患其無用，何不樹之於無何有之鄉，廣莫之野，彷徨乎無為其側，逍遙乎寢臥其下？」此處，他也以一種理所當然的語氣給出採取使用「無用」的建議。然而，一旦我們開始想像要將此一大樹「樹之於無何有之鄉，廣莫之野」，也一樣觸及不可行的問題：一棵龐然巨大的樹怎麼可能讓我們輕易地移植到任何其他地方呢？所以，儘管這兩個奇怪的例子在語言表達上非常獨特與優美，讓我們得以踏進別開生面的思考與想像。在莊子的故事中，弔詭的

---

11 王夫之：《莊子解》，收入《船山全書》（湖南：嶽麓書社出版，1993年），第十三冊，頁91。往後引用皆以《莊子解》加頁數標示之。

12 「敔按：『即物以物物』，謂以物之自物者而物之也。」《莊子解》，頁91。

13 《莊子集釋》，頁37。

14 《莊子集釋》，頁37。

語言和荒謬的內容總是緊密結合在一起,使得「用－無用」成為虛無飄渺的幻象,成為無法實現的美好空想。然而,或許正因為能覺察體會此「不可能」,方使得我們進入莊子的弔詭邏輯才成為可能。

四 船山「用學」論器道關係

面對一般日常對「有用」的期許和要求,莊子經常以「逆覺」的方式回應,逆反轉化一般日常看待事物的覺知模式,例如以「知無用而始可與言用矣」來回應惠子所謂「子言無用」的批評。[15] 要說出什麼是「有用」的前提是必須知道什麼是「無用」的,亦即,如果一個人不知道什麼是「無用」,那麼也不可能知道什麼是「有用」。同樣的道理,倘若一個人不知道什麼是「有用」,那麼也不可能知道什麼是「無用」。「有用」與「無用」是既相對又是相隨、相伴、相涵、相成的共生概念。兩者的關係,有一過渡中介的關鍵,即是「用無」。這在莊子在「無用」的三個層次意涵中便可看出,特別是在船山對《莊子》的註解與思想的轉譯中逐漸顯明。對於「用無」的思想是一步步跨越一般日常對「無用」的認知反轉到「用無」(大用)。從有用、無用的思考連接有關「道」的抽象思考與具體實踐,其中所表達的道器關係,以及「用無」如何可能的問題,可透過船山對《易傳》的道、器關係的思考與反省從王弼《老子》註解以來的傳統,以及解讀《莊子解・外物》的惠莊對話來進行更具體的探索。

船山思想的特別之處在於,他繼承宋明儒學「體用論」,卻又批判「體用論」,使得體用論曲折詭譎地開出新意。或許因為是明末遺民的困苦處境,迫使他不得不突破當時代的思想框架。縱使貧乏困頓地隱居在衡陽,囿限在這個小小的地方,同時卻開展出無限廣大且極為豐富的思想世界。或許因為他不得不落入最卑下之處方能展開寄寓無限寬廣的無竟之境。如同,船山註解〈逍遙遊〉一開頭便說「寓形於兩間,遊而已矣。」[16] 自由與不自由是分不開的。然而,這不僅只是在認知層面,對於「小大之辯」在思想上轉變,而更是關乎個體生命的張力與轉化。[17] 既是現實條件上的問題,亦在思想上如何突破限制,乃至於在困境轉化如何可能的問題,而船山是透過切身經驗來展開其「用無」的思想。換言之,「用無」的可能性條件在於生命真實的體驗與實踐,並且能夠穿越生命的困乏而行走出的一條道路。

針對「(有)用」與「無用」的關係,或說「用無用」的弔詭意涵在船山註解〈逍遙遊〉中表達特別精確:「用其所無用,此則以無用用無用矣。以無用用無用,無不可

---

15 《莊子集釋》,頁936。

16 《莊子解》,頁91。

17 《莊子集釋》,頁2-14。

用，無不可遊矣。」[18]船山的註解帶領我們思考，莊子弔詭思想是如何在「天均」般的旋轉狀態中保持「無不可遊」的逍遙自在。在此，船山思想大體可區分兩種：一是「用其所無用」，另一種是「以無用用無用」。「用其所無用」指的是前文所討論到「無用」的第二層意涵，亦即物的隱處。「以無用用無用」則觸及惠莊二則對話所發生的轉折。船山所謂「以無用用無用，無不可用，無不可遊矣」不僅是表達出弔詭與荒謬的結合，更要強調「用無用」具有廣泛可實現之意涵。然而，此意涵從《莊子・逍遙遊》的兩則惠莊對話確實難以在現實中具體把握。那麼，究竟莊子的弔詭思想能帶我們到哪裡，莊子的「謬悠之說，荒唐之言，無端崖之辭」[19]只是讓我們所處的混亂世界更加混亂嗎？船山在註解《莊子・外物》時似乎讓道家式的弔詭思想不僅具有日常生活實踐意涵，同時更進一步讓《莊子・逍遙遊》種種不可能的夢想具可實現性。以下列出《莊子・外物》惠莊對話，以及針對這段對話船山《莊子解》註解：

> 惠子謂莊子曰：「子言無用。」莊子曰：「知無用而始可與言用矣。天地非不廣且大也，人之所用容足耳，然則廁足而墊之，致黃泉，人尚有用乎？」惠子曰：「無用。」莊子曰：「然則無用之為用也亦明矣。」[20]
> 知無體之體，則知無用之用。「除日無歲，無內無外」，無體也。「以每成功」，以天下用而己無用也。體無體者「休乎天均」，用無用者「寓於無竟」。[21]

船山註解顯然運用了宋明儒學流行的「體用論」來解讀。一方面，這種方式將宋明儒學當代話語融入古典《莊子》的解讀；另一方面，亦是試圖藉由古典傳統《莊子》來重新理解並重構當時「體用論」，使得「體用論」能吸納《莊子》式的弔詭思想而跳脫宋明的固定語彙與思想框架。船山透過「體無體」及「用無用」的弔詭結構使得宋明儒學與《莊子》思想相互詮解與相互轉化。

　　船山創造性的註解首先便強調對日常知覺的反轉。「知無體之體，則知無用之用」中的「知」，便是要能「覺知」某種弔詭處境。如同，船山處於末代亂世，避世遠離朝野，隱匿居處衡陽，卻又能逆轉所處微小容足之地的有限性，而開啟「無何有」即廣闊無所可用的無限性。在此，所謂「弔詭思想」，即是要能夠「（覺）知」逆轉「有用」與「無用」的一般價值秩序。能夠將小轉為大，在有限中開展無限，讓「有用」（用大）轉向「無用」（大用）的逆覺思考。然《莊子》並非僅止於從一端反轉至另一端而停留在以大或「無（用）」為優先的層次。若僅是停留在簡單的翻轉與逆向思考，這並非真正進入弔詭的層次。而更是要能進入去「用」這個被視之為無用之物、要能夠寄「寓」

18　《莊子解》，頁91。
19　《莊子集釋》，頁1098。
20　《莊子解》，頁936。
21　《莊子解》，頁412。

於這個無限廣大的無限之境,也就是使「用」此逆轉思考而進入「用無用」和「寓於無竟」的層次。轉進深入此思考層次意味著「有用」與「無用」同等重要。兩者之間並沒有等級優先順序。

　　「無體」有兩種解釋,一種是多數的傳統解讀,將「無體」視之為「道」,「無體之體」就是「道之體」,亦即,永恆不變絕對的道體。據此,「無用」就是一切用的條件或基礎。這樣的解讀是將「無」作為「有」的始源根基。然而,這種解釋卻狹隘了「體」與「用」。「無體」的另一種解釋是從船山的思考來判斷,船山相當注重切身的「體」與「用」。他並非僅止於將第二個「體」與「用」當名詞看,將「體」作為一種定點的道體,或是將「用」視為一切可用的基礎條件。而是更進一層反轉,認為第二個「體」與「用」皆可作為動詞,意指人的「體會」與「使用」。這意味著,一旦能「體」(體會)「無體」,能「用」(使用)「無用」,就能體會「道」是「無定體」的。由此出發,可透過平時日常使用器物的「無」處,或「虛空」處來覺察器物之所以為器物的道理。我們一旦堅持有一固定之「體」,這個「體」當下即成「無體」。立足點之所以可以立足,在於有非立足之地方(無體)能成其為立足點。反之,一旦堅持「無體」(無立場)就是「體」,同時也就落入了某一立場,無立場也是一種立場。我們不可能處於一個永恆不變的位置或立場,所有的立場都是因為有其他立場的存在而能成為立場。同時,我們也不可能一直處於不斷在變動的狀態。

　　換言之,若無法「體無」,透過我們的經驗來「體會」不確定性和流變性,如何「知」什麼是「無體」;如果無法「用無」,透過我們日常使用器物之空無,如何「知」什麼是「無用」。「知無體之體」便是覺知如何體知領會「無」才能知道什麼是「無體」;「無體」離不開「體」(動詞:體會)。「知無用之用」便是覺知如何使用/實踐「(空)無」才知道什麼是「無用」。「無用」離不開「用」(動詞:使用/實踐)。況且,若僅將第二個「體」作為名詞,將會過於侷限後面幾句註解的思考,特別是對「體無體者」的理解有所侷限。因此,保留第二個「體」與「用」作為名詞與動詞的可能性與歧義性的優點在於:一方面,「體」當作名詞具有「靜」的形態;另一方面,「體」當作動詞富有「動」的行為與活動的意涵。「體」與「用」這單詞本身即已蘊含「靜」與「動」的弔詭關係。如此,對弔詭關係的覺知,同時也開始獲得「語言」上的表達。

　　「『除日無歲,無內無外』,無體也。『以每成功』,以天下用而己無用。」船山這段註解,進一步說明,何謂「無體」與「無用」。在此,船山以《莊子‧則陽》容成氏所講的「除日無歲,無內無外」來解釋「無體」。船山評曰:「積眾以為一,非眾外有一也。合人以為己,非己內而人外」。[22]若沒有「己無為」(「己內」/內聖)的自我治理和修養工夫,就沒有「天下用」(天下之大用/外王)的可能。船山在註解《莊子‧外

---

22 《莊子解》,頁394。

物》「聖人躊躇以興事，以每成功」[23]時，他透過老萊子教導仲尼的對話，來凸顯所謂聖人是要隨時抱持戒慎恐懼的態度，以及「寓庸而隨成」的作為，也就是「冉相氏（古之聖君）得其環中以隨成。」[24]亦即，聖人的成功與通達來自於日用平常的「用中」、「用無」的能力和態度。這些關於聖人的表達進一步說明「無體之體」的「無體」與「無用之用」的「無用」。這段註解從「體」與「無體」及「用」與「無用」的關係，進一步過渡到「體無體」、「用無用」的弔詭格局。同時帶出，「知無體之體，則知無用之用」的第二個「體」和第二個「用」既可當名詞又可當動詞來闡明，以敞開雙重及更為動態的解讀。

「體無體者『休乎天均』，用無用者『寓於無竟』。」這一句轉而深入說明，體無體「者」與用無用「者」的「體者」與「用者」的主體狀態。能「體無」者即是能處於「休乎天均」境界，能「用無」者即是處在「寓於無竟」的境界。然而「休乎天均」與「寓於無竟」是可能的嗎？我們果真能停止（「休」）在不斷旋轉（「天均」）的狀態中？果真能居住停留（「寓」）在無限廣大無邊無界限的地方（「無竟」）？從莊子來看，這種狀態似乎既是如此平常不過的實然狀態，而對每個體者卻又是如此不可能通達？

船山透過《莊子・外物》的惠莊對話來強調，立場與無立場、有限與無限、用與無用、體與無體之間的既可分別又無法分別互為相依相存相涵的關係。為了表達莊子弔詭思想的運行結構，或許可借用張載《正蒙》的一句話來加以闡釋：「兩不立，則一不可見；一不可見，則兩之用息。」[25]我們所站立的地方同時包含了有（限）與無（限）才成其為所謂的立足點。船山註解《莊子・則陽》容成氏所言：

> 除日無歲，日復一日而謂之歲，歲復一歲而謂之終古；終古一環，偕行而不替。無內無外，通體一氣，本無有垠，東西非東西而謂之東西，南北非南北而謂之南北；六合一環，行備而不洫。運行於環中，無不為也而無為，無不作也而無作，人與之名曰天，而天無定體。[26]

此註解充分說明了，日歲、古今、東西南北、為無為等定而不定的關係問題：「弔詭」不僅是一種實然狀況更是呈現在日常生活中的種種思想和行為。問題是，如何從立場／立足點穿越過渡到無立場／無立足？又如何在這之間來回往復？我們總是恐懼這種定而不定的弔詭。或許正因為恐懼，所以必須不斷的在行走人生這一條道路上學習如何面對。學習如何穿越立場與無立場、體與無體、用與無用之關係的通道。

---

23 《莊子解》，頁410。

24 《莊子解》，頁393。

25 王夫之：《正蒙注》，收入《船山全書》（湖南：嶽麓書社出版，1993年），第十二冊，頁35。往後引用皆以《正蒙注》加頁數標示之。

26 《莊子解》，頁393。

　　「可道」作為「非常之道」，其思考的關鍵在於「用無」是否可能？要翻轉顛倒習慣性的思考相當不容易。「語言是存在的寓所」，而語言源自於我們的思考，一旦我們習以為常，就被所謂的「常」給制約，而難以跨越「常」進入「非常」。船山思想充滿批判性，特別是批判無的優先性。他在《周易外傳》批評《老子》「道在虛（無）」的觀點，反駁將「無」絕對化。他用「幽─明」取代「（虛）無─（實）有」，其獨特的語言使用反應出另類的觀點。從人在感官知覺能力上的不可見（幽）與可見（明）取代了在理性抽象思考上易落入絕對道體化、形上學化的「無」與「有」。「無形而人不得而見之，幽也，無形，非無形也，人之目力窮於微，遂見為無也。」[27]無形並非毫無形體可言，只是幽微渺小到無法被覺知到，是「幽微」到人的眼睛視覺感知官能無法目擊。換言之，人的視覺能力是有限的，而「幽微」並不是完全無形，僅是超出了一般人的感官知覺能力。船山透過「氣」來強調：「氣之聚散於太虛，猶冰凝釋於水；知太虛即氣，則無無。」[28]又說：「人所見為太虛者，氣也，非虛也，虛涵氣，氣充虛，無有所謂無者。」[29]因此：「有幽明而無有無，明矣。」[30]對一般我們透過王弼《老子》註所展開的理解，船山的註解與闡釋的方式，確實有著極大的衝擊。然而，這也並不是說，我們就不能從船山的視角（筆者認為是一種在王船山所處當代困境的困苦視角）來重新理解反省王弼《老子注》。船山透過有─無、虛─實、隱─顯、道─器、體─用等核心概念的弔詭辯證，重新探討《莊子》、《老子》、《中庸》、《易傳》等經典中「形而上」與「形而下」的關係。就此對「形而上」、「形而下」，「道」、「器」關係的討論與思考，船山思想具有革命性的反轉。

　　本文關注的是透過道器關係的逆轉、弔詭性的思考，來探討「用無」的可能？既是「用」而不僅只於「想」，同時又是在超越一般思想中「用」出不同，亦即這不是一種純粹具超越性的理性抽象思考，而是需要在日用平常中又超出日用平常的「思」與「用」。因此，筆者認為在《老子》篇章中所提到種種具體意象，不僅只是對「道」的諸種隱喻，更是真真實實的「道用」（道是行走出來的），是「可道之道」，也就是「非常之道」。而我們若要能體道，理解思考「道體」，也必需透過「可道」，須走在道上才能知道。因此，形而下之器與形而上之道有其不可斷裂性，同時也意味著行走上下之間來回往復於此一通道。

　　然而，面對具體使用器物，究竟「道」在哪裡呢？倘若我們承認「道」與「技」確實有所區分，亦即並非所有的「用」都有「道」，那麼，如何分別「有道」與「無道」

27 《正蒙注》，頁28。

28 《正蒙注》，頁30。

29 《正蒙注》，頁30。

30 《正蒙注》，頁30。

之「用」？船山在《周易外傳》提及「道者器之道」[31]。如果有道，所有的「道」都是「器之道」，沒有任何的「道」能不使用「器」而有所顯現：「形而上之道隱矣，乃必有其形。〔……〕。」形而上之道是「隱」的狀態，當道無隱必「顯」於有形之「器」：「無其器則無其道。」[32]「道」在運行之中，不能一直停滯於隱的狀態中。沒有所謂停止不動的「道」。「道」之所以是「道」就是處於動與不動之間的活動、行動、運動、運行。「道與器不相離」[33]意味著道與器都不能獨立存在。例如，庖丁要透過「用刀」解牛的行動讓養生之道出隱。然而，反過來「器者不可謂之道之器也」[34]，亦即並非所有用器的技術都是「道」，任何的器未必是「道之器」。如同，會泡茶的人未必能實現踐行呈現出茶道。然而，茶道必定是要透過泡茶、使用茶器的行為活動來顯現。茶道之道正是透過泡茶、行茶、使用茶器及喝茶的活動，在行使之間讓「道」出隱而顯。

　　「道者器之道，器者不可謂之道之器也。」[35]「道」儘管必須透過「器」來呈現，但並不說所有的器都是道。用器是讓道出隱的必要條件。「道」必須是活動的（活生生的、動態的），那麼我們或可從如何「用器」才具有道，才能使得道無隱。然而，如何「用」才能有「道」。從用器的角度來說，若要有道，肯定不同一般，是非日常、非平常的「非常」性。這種超乎日常、平常的用，即是在用器時的「品質」。因此，有「道」（「可道」、「非常道」）即是用器的品質。所謂工夫，所謂修養，其中不可或缺至關重要在於用器品質的提升，亦可說，用器品質（有「道」）的關鍵在於「用無」或是「用隱」，在「用無」與「用器」的弔詭共存。

　　從「隱—顯」（隱—無隱）來思考「有—無」，可理解船山獨特的「用學」：「故古之聖人，能治器而不能治道。治器者則謂之道，道得而謂之德，器成則謂之行，器用之廣則謂之變通，器效之著則謂之事業。」[36]船山對道器關係的思考，使得「用無用」的弔詭語言不僅脫離神秘或空洞虛無的陷阱，而且將之連結到日常生活中的「覺」與「行」：體無體的工夫實踐。就此，「形而上者謂之道」意味著，形而上之道沒有絕對超越的地位，在本體論上離不開形而下之器。反過來說，器的使用有賴於「用無」的必要，因而脫離不了形而上的「隱而未見者」或中空的「無」處。若要脫離玄妙空洞的形而上學並且要與日用倫常修養實踐的工夫論有所連結，以船山「合上下於一貫」[37]的構

---

31 參閱：王夫之，《周易外傳》〈繫辭上傳第十二章〉，收入《船山全書》（湖南：嶽麓書社出版，1993年），第一冊，頁1027。往後引用皆以《周易外傳》加頁數標示之。

32 《周易外傳》，頁1027。

33 王夫之，《周易內傳》，收入《船山全書》（湖南：嶽麓書社出版，1993年），第一冊，頁568。往後引用皆以《周易內傳》加頁數標示之。

34 《周易外傳》，頁1027。

35 《周易外傳》，頁1027。

36 《周易外傳》，頁1028。

37 《周易內傳》，頁569。

想為敞開「形而上下學」的弔詭格局是一條可能的出路。道與器的關係不等同於「道之體」與「器之用」的關係。道與器在本體論上處於「互為體用」的平等關係。船山說：「合道、器而盡上下之理，則聖人之意可見矣。」[38]然而，在境界上，「器之用」是否「有道」或「無道」不得不去分，如同庖丁區分「道」與「技」一般。問題是，此區分的標準如何界定，如何體會，誰能體會？船山則透過弔詭的語言來回應：「體無體者『休乎天均』，用無用者『寓於無竟』。」

五　「以無為用」的茶道哲學反轉日常知覺

本節要討論的是，茶道的本體是否在於「用無」的「工夫」？如何闡明使用「無」的含意。探討的出發點是船山對「無」之絕對化的深刻質疑，並且透過船山註解《莊子‧外物》惠莊對話來進一步啟發「以無為用」的思考，以「用無」為「體」的觀點，。換言之，在日常生活中，使用器物之空無處的經驗（例如：使用杯子喝水）如何能讓我們走上「用無」之「道」，即深入使用器物的工夫和品質？「道」在用器的過程中如何習練？上述問題能否藉由船山有關「道器無異體」[39]的思想來回應？

以「用」為中介嵌結「無」與「器」，《老子》第十一章有相當具體的意象表達出相關的思想。思考《老子》第十一章「當其無有器之用」可以有兩種解讀：一種解讀強調「無」的重要性、絕對性與優先性，亦即傾向於形而上學，或說是，道之本體的解讀；另一種解讀則基於「道」與「器」是「無異體」的觀點，來思考「無」與「器」的關係。對於第二種解讀，可以進一步思考：為何「體」不在「無」而在「用無」？也就是對於「無」的思考，不是基於絕對不變做為基點的本體，而是在使用「無」的動態過程。容器若沒有中空的部分就無法成其為器，正因為器裡面是中空空無的，所以才能夠使用。依此，我們去反思在製作茶器時，要思考的就不是製作器具的「有形」，而是去思考如何塑造出器具的「無形」之處。茶器製作的活動圍繞著器物中間的空無來形塑，才能製作出所謂「好用」的器物。這可說是在「用無」的過程中呈現「器」與「無」密不可分的關係。為何要特別凸顯「無」在思想與行動所具有的關鍵意義？

我們進一步從《莊子‧養生主》來對「無」理解，可對應庖丁解牛的「間」與「道」來說明。庖丁的養生之道呈現在「用無」或「用間」的解牛過程。他在「用無」或「用間」的學習修行中，逐漸讓自己與他人體會何謂「所好者道也，進乎技矣」，顯現「道」與「技」在修養境界上的不同。養生之道如此，茶道亦如此。「形而上者，非無形之謂，有形而後有形而上。」[40]一般我們認為用器就是「用有」，也就是使用器的

38　《周易內傳》，頁568。

39　參閱《周易外傳》，頁1027。

40　《周易外傳》，頁1027。

有形體部分，把握使用器具的有形之處，而用器若要觸及「道」的運用就會涉及「用無」或「用間」的工夫。而如何能夠「用無」則關係到錯綜複雜的學習和體悟。換言之，唯有在「（修）養」的學習中，茶之「道」方能逐漸浮現。無論是茶工夫的「道」或是庖丁解牛的養生之道，「道」的體現與「用無（用間）」密不可分。「道」需要「用無用」，「用無」又需要對「無體」的肯定。這意味著一種逆轉的思考，並非從杯子的有形，而是從杯子中間的空無處來切入。「用無」得放下擁有與抓取的意志。若能放下，「用無」才變成「體」。反過來說，透過「用」，才能體會「無體」，這就是所謂的「體無體」。

這種逆轉思考「器」、「無」與「道」的關係可呼應船山所謂「無其器則無其道」[41]。從《老子》第十一章來說，「器之用」包含「用無」，或「賴無以為用」[42]。「（茶）道」中的「用無」涉及「道在器中」如何實現的問題。道與器確實有分，然若要跨越使用器具的技術層面而進入「道」的層面，則似乎不得不考慮在實踐過程中覺察「用無」與「用間」的細微變化。例如，作陶者著重留意於茶器中間空無處，形塑器物的中空處或壺嘴空際出水的通道是否流暢，必須注意對器物空無處的掌握和收放，以使得容器在使用時能精準地表現出水的流暢度與細緻度。又如，司茶者在行茶注水的過程，專注於將水注入茶器中空之處，並且對於器物與器物之間注水流動的節奏，與行茶時的呼吸和力道的拿捏；以及掌握茶葉在茶器中舒展與浸泡到何種程度，才是出湯的適當時機。這無不關係著司茶者在用無的過程，在無與有之間來回往復，在忘與不忘之間的待與無待其所涉及的實踐工夫與主體修養；也就是司茶者專注於用的動作與注水，及當下水柱流動虛實快慢的節奏。這樣的連接不只涉及「用」的問題，同時超出一種過於簡單的體用關係，因為道－器關係不能簡單化約為體－用關係。「體」同時具動與靜的雙重向度，是非本質性的存在，而是在器之用，亦即存在於有－無、虛－實的關係中。透過行動顯現空－滿－虛－實，在這過程中，道才展現出來，而這樣的既斷裂又連續的通道也就是人與物、物與物、人與人，物物之間溝通交流的收－放、呼－吸、開－闔的過程。器物與人物，茶壺、茶杯、人，乃至於自己面對自己在喝茶活動的行動過程，即發生溝通交流。無論是庖丁、陶人、茶者，亦或是書、畫家等的「用」都不僅是擁有專業的技術與高超的技巧，而更是關係著主體間際的自我覺察與轉化。

在如此日常的喝茶文化中可看到超乎日常的「用無」與「用間」的特色。功夫茶能結合具體的喝茶活動與抽象的「用－無用」論。喝茶不僅僅是口舌的味覺，同等重要的是鼻息的嗅覺，從生理的角度來看，嗅覺與味覺是相互影響。早期臺灣茶藝在喝茶的方式上多了一道使用「聞香杯」。這是在真正喝到茶湯之前多了一道用無、用空，僅僅只

41　《周易外傳》，頁1027。

42　王弼（注），《老子道德經注校釋》（樓宇烈校釋）（北京：中華書局，2016）頁27。

為了覺察若有似無的茶香，看似多餘的步驟，此發展本來是為了要呈現臺灣高山茶獨有的「高山氣」。完整的功夫茶除了茶壺作為行茶過程中的器物之主，也相當注重各個器物之賓。司茶者在派設茶具煮水燒水無不專注地在和器物建立某種關係。當司茶者將茶壺中的茶水注入「公道杯」（又稱「茶海」、「茶盅」或「勻杯」）中，此時茶主人已經預備了與茶客人之間的交流。從公道杯倒出分別注入茶客個人的聞香杯，每個茶客人自行再將個別聞香杯中的茶水倒入個人的品飲杯中，先嗅聞空無一物的聞香杯中的香氣，聞香後再小口啜飲個人品飲杯中的茶水。如此反復，讓香氣在尚未接觸口唇時停留於聞香杯中。在此過程中，我們不會拿起聞香杯飲用此杯中的茶水，而是將茶水倒出讓杯再次呈現空的狀態同時香氣卻又充滿杯中。每位茶客個人自主自由地選擇何時倒出、何時聞香、何時飲用。如何動作的時機，在於喝茶者個人的感覺、行動與體察。品味就在虛－實－空－滿過程中不斷地來回往復，每個喫茶品味者都在等待與伺機而動的體會過程。在「用無」具體操作的實踐過程中，讓不易停留且稍縱即逝的細緻香氣蕩漾在空無一物的聞香杯底。多了這樣一道看似無用的步驟，同時也將「用無」用到極致（用大、大用）。透過「聞」[43]，透過呼吸之間，讓嗅覺的香氣引發味覺，茶水在口舌、兩頰、喉嚨、心肺之間生津乃至於氣息貫穿頭頂，而產生難以言語的餘韻迴盪。

喝一杯茶，氣味、滋味是從鼻口貫通全身。這道無用地「用無」過程，可以讓品茗者產生更豐富的體會。這些在「用無」與「體無」的過程，所產生的氣與韻，往往又能引發諸種與之相關連既真實又虛幻的想像。嗅聞香（氣）可令人連想延伸到那廣漠的自然山水，讓人想到孕育這茶的天地山水。透過喝茶，茶與自然既真切相連又充滿想像力的關聯性：究竟是什麼樣的自然，什麼樣的天地山水，又是什麼樣的人文化成的製茶工序與物相待，得以孕育養成茶的滋味與道的體現。喝茶過程「用無」的實踐讓我們得以遙想天、地、人的自然聯繫與旋轉。

藉著喝茶我們能思考何謂「器」或者「物」，亦即思考所謂「物之本體」或說「物自身」為何？茶器如果沒有空無之處，就不成其為茶器。更精確定地來說，沒有「無」處則不成其為「有用」之器。又如果沒有對用「無」的體會與領悟，便無「道」可言。這裡所講的「道」一方面是行茶與喝茶活動的過程；另一方面意味著此過程中涉及「用無」的感與覺。「道」的發生與「覺」的修養密切相關。

具體實踐能敞開茶、器、道三者的互為交織。假如「道」是一種通道，就不是什麼世界的本質，而是溝通的藝術。透過「水」在各個茶器間，虛－實－滿－空的循環交感與流通，所有在場者一起分享著茶（香）氣和茶水。以茶會友的交流過程往往是人與自己、人與他人、人與物的交流對話。因此，一場茶會可能在於（善）用物與（善）待人之際，在對「覺」的學習和洞察中開顯「茶道」，就此浮現茶道既美學又倫理的潛能。

---

43 「聞」並非僅止於鼻子的嗅覺，更有氣通鼻耳心肺之意。

茶道讓我們具體地獲得一種感性與體悟的關係：讓用無成為可能，讓「體無」流變為「體悟」。從「以無為用」的茶道哲學觀之，「有用（無）」便敞開以「用無用」的弔詭結構為核心的修養哲學。喝茶這件事情是如此的日用平常又是如此的非日用平常。

徵引文獻

王夫之:《周易外傳》,收入《船山全書》,第一冊,湖南:嶽麓書社出版,1993年。

王夫之:《周易內傳》,收入《船山全書》,第一冊,湖南:嶽麓書社出版,1993年。

王夫之:《正蒙注》,收入《船山全書》,第十二冊,湖南:嶽麓書社出版,1993年。

王夫之:《莊子解》,收入《船山全書》,第十三冊,湖南:嶽麓書社出版,1993年。

王　弼注、樓宇烈校釋:《老子道德經注校釋》,北京:中華書局,2016年。

郭慶藩:《莊子集釋》,北京:中華書局,2007年。

何乏筆主編:《跨文化漩渦中的莊子》,臺北:國立臺灣大學出版社,2017年。

鍾泰《莊子發微》「以《易》勘《莊》，以《莊》合《易》」之詮釋架構探析

聶　豪[*]

國立成功大學中國文學系博士生

摘要

　　鍾泰（1888-1979）的《莊子發微》承襲了太谷學派「以《易》解經」的學風，對莊學研究領域影響甚大。其書主旨認為《莊子》的內聖外王之學本於孔門顏淵之傳，因此《莊子發微》亦屬於以儒解莊的研究取徑。《莊子發微》透過「以《易》勘《莊》，以《莊》合《易》」的方式，試圖以此證明：雖然《莊子》少談易理，但其學說內涵卻暗合易道精義。《莊子發微》以《易》解《莊》的部分並非循序漸進地開展，而是四散在不同的篇章段落之中，故本文順著鍾泰的思路，以〈說卦傳〉的「窮理盡性至命」作為主軸，將這些零散文字貫串起來，重新組建成《莊子發微》的詮釋架構，分別為：「窮理工夫論」、「盡性境界論」與「至命本體論」。通過詮釋架構的重建，可以幫助讀者對《莊子發微》有一提綱挈領的認識，不至於迷失在鍾泰旁徵博引的學術名相裡，而遺落了鍾泰著書的宗旨。同時本文也可以為前人對鍾泰與太谷學派之間關係的研究，補充一個學理脈絡上互相關聯的可能例證。

關鍵詞：《莊子》、《周易》、鍾泰、工夫論、境界論、本體論

---

[*]　非常感謝兩位審查老師的寶貴意見，使筆者得以省察本文思慮不周之處並予以修正，謹致謝忱。

How Zhongtai's *Zhuangzi Fawei* uses the concept of *Book of Changes* to explain the meaning of *Zhuangzi*

Nieh, Hao

Ph.D. student, Department of Chinese Literature,
National Cheng Kung University

Abstract

Zhong Tai (1888-1979) 's *Zhuangzi Fawei*（《莊子發微》）inherited the Taigu School's style of "interpreting the scriptures with *Book of Changes*" and had a great influence on the field of Zhuangxue research. The main purpose of the *Zhuangzi Fawei* is that *Zhuangzi*'s study of inner sages and outer kings is based on the biography of Confucius Yan Yuan, so *Zhuangzi Fawei* also belongs to the research approach of interpreting Zhuang from Confucianism. *Zhuangzi Fawei* tries to put forward an argument by "using 'Yi' to investigate 'Zhuang', and 'Zhuang' to 'Yi' ": Although "Zhuangzi" talks less about the theory of "Yi", its theoretical implication coincides with the essence of "Yi".The part of *Zhuangzi Fawei* using "Yi" to explain "Zhuang" is not unfolded step by step, but scattered in different chapters and texts. Therefore, this article follows Zhong Tai's thinking, "Shuo Gua Zhuan" "They made an exhaustive discrimination of what was right, and effected the complete development of nature, till they arrived at what was appointed for it" is used as a grind to connect these scattered texts and rebuild the unique structure of *Zhuangzi Fawei*, which are: "Investigation of Things-the theory of cultivation","achieve humanity-the theory of Jing-jie" and"Returning to the Original Nature-the theory of the ontology". Through the reconstruction of the structure, it can help readers to have a general understanding of *Zhuangzi Fawei*, so as not to get lost in Zhong Tai's academic names and lose the truth of Zhong Tai's works. At the same time, this article can also add a possible example relationship in the academic context to the predecessors' research on the relationship between Zhong Tai and Taigu School.

Keywords: Zhongta、*Book of Changes*、*Zhuangzi*、Self-Cultivation、Jing-jie、Metaphysics

一　前言

中國經學傳統源遠流長，其中又以《周易》歷史最為悠久，自漢代獨尊儒術以來，儒家學者多推尊《周易》為群經之首。如《漢書・藝文志》指出，學《詩》可以讓言語變得雅正[1]，故《詩》象徵「義」；學《書》可以增加對史事的了解，故《書》象徵「智」；學《禮》可以明瞭人倫為天地之常體[2]；學《樂》可以領會燮理陰陽的為政之道[3]，故《樂》象徵「仁」；學《春秋》可以體會公正的臨事決斷，故象徵「信」[4]。上述仁、義、禮、智、信五者皆為天地間不移易的常理，而《周易・繫辭上》曰：「易與天地準，故能彌綸天地之道」[5]，《周易》既模範天地，五常之道又不外於天施地化，因此可以說五常之道皆出於《易》，所謂「五常之道，相須而備，而《易》為之原」[6]。《易緯・乾鑿度》則將五常之道比配於陰陽二氣、五方而成為四正卦，「得五氣以為五常，仁義禮智信是也。」[7]，分別為「東方－震卦－仁」、「南方－離卦－禮」、「西方－

1　《論語・述而》云：「子所雅言：《詩》、《書》、執《禮》，皆雅言也。」參見晉・何晏集解：《論語》，收入《四部叢刊三編・經部》第2冊（臺北：臺灣商務印書館，1966年，上海涵芬樓借長沙葉氏觀古堂藏日本正平刊本影印），卷4，頁29。

2　孔穎達《禮記正義・曲禮上》疏云：「夫禮者，經天地；理人倫，本其所起，在天地未分之前。故《禮運》云：『夫禮必本於大一。』是天地未分之前已有禮也。」參見漢・鄭玄注；唐・孔穎達疏；龔抗雲整理：《禮記正義・曲禮》（臺北：臺灣古籍出版公司，2001年），卷1，頁5。

3　《國語》云：「夫政象樂，樂從和，和從平。……聲應相保曰和，細大不逾曰平。如是，而鑄之金，磨之石，系之絲木，越之匏竹，節之鼓而行之，以遂八風。於是乎氣無滯陰，亦無散陽，陰陽序次，風雨時至，嘉生繁祉，人民龢利，物備而樂成，上下不罷，故曰樂正。」參見吳・韋昭注：《國語・周語下》，收入《景印文淵閣四庫全書》第406冊（臺北：臺灣商務印書館，1983年，據國立故宮博物院藏本影印），卷3，頁38。

4　如董仲舒《春秋繁露》云：「《春秋》之義，貴信而賤詐。詐人而勝之，雖有功，君子弗為也。」參見漢・董仲舒：《春秋繁露》（臺北：中華書局，1966年，據抱經堂本校刊），卷9，頁3。

5　魏・王弼注；晉・韓康伯注：《周易・繫辭上》，收入《四部叢刊正編》經部第1冊（臺北：臺灣商務印書館，1979年，據上海涵芬樓景印宋刊本原書版影印），卷7，頁44。

6　《漢書・藝文志》：「樂以和神，仁之表也；詩以正言，義之用也；禮以明體，明者著見，故無訓也；書以廣聽，知之術也；春秋以斷事，信之符也。五者，蓋五常之道，相須而備，而易為之原。故曰『易不可見，則乾坤或幾乎息矣』，言與天地為終始也。至於五學，世有變改，猶五行之更用事焉。」參見漢・班固：《漢書藝文志》（臺北：華聯出版社，1973年），頁20。

7　如《易緯・乾鑿度》云：「夫萬物始出於震，震，東方之卦也，陽氣始生受形之道也，故東方為仁。成於離，離南方之卦也。陽得正於上，陰得正於下，尊卑之象，定禮之序也，故南方為禮。入於兌，兌西方之卦也。陰用事而萬物得其宜義之理也，故西方為義。漸於坎，坎北方之卦也，陰氣形。盛陰陽氣含閉，信之類也，故北方為信。夫四方之義，皆統於中央，故乾坤艮巽，位在四維，中央所以繩四方行也，智之決也，故中央為智。故道興於仁，立於禮，理於義，定於信，成於智，五者道德之分，天人之際也。聖人所以通天意，理人倫，而明至道也。昔者聖人因陰陽，定消息，立乾坤，以統天地也。」參見漢・鄭康成注：《易緯・乾鑿度》，收入《景印攜藻堂四庫全書薈要》經部第14冊（臺北：世界書局，1986年），卷上，頁501。

兌卦－義」、「北方－坎卦－信」，又以乾、坤、艮、巽為四維卦，並以「智」不立卦象，位居中央，統合四正卦及四維卦。《漢書・藝文志》與《易緯・乾鑿度》一方面標舉《易》的優位性，將五常之道、五經界定為《易》的內容，另一方面將《易》作為五常之道的源頭，再配合易理象數的推演，這種法天象地，以《易》為本，強調天人合一之整體性的經學觀，就順理成章地形成不同經書能夠彼此互釋的漢代經學傳統。

在漢代以後的學術發展中，《周易》作為群經之首的優位性，讓它可以跨出傳統儒家學說的範圍，進而與老莊學說、佛學相溝通。因此在魏晉玄學時期，又將《莊》、《老》、《周易》合稱為「三玄」，一併作為清談的主要內容。而在隋唐佛學臻至鼎盛時，又有李通玄以《易》釋《華嚴經》的《華嚴合論》、石頭希遷以易入禪的〈參同契〉。直至宋明理學，《周易》更是扮演著儒釋道三教會通的樞紐，並出現「三教歸易」之說。波瀾壯闊的易學史連帶地影響到莊學史的發展，在明代《莊子》學詮釋史上有多位學者認為《莊》本於《易》，「莊易會通」或者「以易解莊」，成為以儒解莊路線的其中一支主力，以方以智（1611-1671）、錢澄之（1612-1693）、王夫之（1619-1692）等人為代表。

時至清代，有鑑於宋明學者多以義理談《易》，缺乏考據訓詁的實證，故天下學風再變，清代學者分為宗尚章句訓詁的漢學派，與注重闡發義理的宋學派，其中又以漢學派的學者占多數。如皖派經學大家惠棟的父親惠周惕曾自道學術立場：「僕立託之旨，惟是以經解經」[8]。

學者姚彬彬指出，清儒「以經解經」的學風，並不侷限於知識分子的士大夫階層，更深入於一般民間之中，而統冠諸經的《周易》，其為人崇奉的宗教性就更加顯豁。如周太谷（1764-1832）所創立帶有民間宗教性質的太谷學派，就以《周易》為聖書。周太谷的《後天八卦圖說》認為五德涵攝於八卦之中，[9]周太谷的三傳弟子繆篆（1877-1939）、劉大紳（1887-1954）、鍾泰（1888-1979）等人則繼承了他的易學思想。[10]姚彬彬認為周太谷的《後天八卦圖說》「用儒家道德論來詮釋後天八卦方位的微義，其與《易緯乾鑿度》的思路一致」[11]，可是經筆者複核《易緯・乾鑿度》原文，發現周太谷

---

8 清・惠周惕：〈答薛孝穆書〉，《硯谿先生集》，收入《清代詩文集彙編》（上海：上海古籍出版社，2010年，清康熙惠氏紅豆齋刻本原書版），第209冊，總目卷下，頁94。

9 周太谷《後天八卦圖說》：「《易》曰『帝出乎震』，仁始施也。『齊乎巽』，德施普也。『相見乎離』，禮之用也。『致役乎坤』，禮之複也。『說言乎兌』，義達乎道也。『戰乎乾』，知動也。『勞乎坎』，知止也。『成言乎艮』，合四德而為信也。信也者，終百行、始百行之謂也。人而無信，雖有道，其何從容而中也？」，參見黃寶川編撰：《太谷學派遺書》（揚州：江蘇廣陵古籍刻印社，1997年），第1輯第1冊，頁104-105。

10 姚彬彬：〈從「以經解經」到「以《易》解經」——清代以來儒學經典詮釋中的一條哲學性進路〉，《福建師範大學學報（哲學社會科學版）》第6期（2020年），頁140-150。

11 姚彬彬：〈從「以經解經」到「以《易》解經」——清代以來儒學經典詮釋中的一條哲學進路〉，《福建師範大學學報（哲學社會科學版）》第6期（2020年），頁147。

雖然也認為五德涵攝於八卦之中，但周太谷以「仁、義、禮、智」四德合而為「信」，與《易緯・乾鑿度》以「仁、義、禮、信」皆賴「智」決的說法並不一樣，而周太谷以乾、坎兩卦配屬智德之動止、以艮卦配屬信德，亦與《易緯・乾鑿度》以坎卦配屬信德、以智德居四方之中而不配屬卦象的解釋並不一樣。可以說周太谷的易學思想重視信德，《易緯・乾鑿度》則較重視智德。因此周太谷的三傳弟子繆篆認為「在《乾》為元亨利貞，在君子為仁義禮智」[12]、「六十四卦，元、亨、利、貞、有孚各不同，則知君子仁、義、禮、智、信（有孚）亦各不同」[13]，繆篆以元、亨、利、貞、有孚配屬仁、義、禮、智、信，則是對周太谷的易學思想再詮釋，這已脫離了《易緯・乾鑿度》五常之道的重「智」的脈絡，由此形成具有太谷學派特色的重「信」的新五常之道。太谷學派之重信的易學思想，或許亦與其帶有宗教信仰的色彩有關。

　　本文之所以特別指出太谷學派易學思想的特色，是欲以此為引，帶出下文對鍾泰（1888-1979）《莊子發微》的探討。姚彬彬雖處理了繆篆、劉大紳對於太谷學派易學的承襲，但卻未提到與繆、劉兩人同輩的鍾泰。而鍾泰在《莊子發微》中「以《易》勘《莊》，以《莊》合《易》」[14]的註《莊》風格，體大思深，是近代《莊子》學中的一支異軍。因此，讓筆者感到好奇的是，鍾泰以《易》解《莊》的方式，是否與太谷學派重信的易學思想有所交涉？以及《莊子發微》是如何處理深閎而肆的《莊子》與《易經》之間的關係？本文主要會將重點放在《莊子發微》如何論述《莊》《易》合釋的可行性，並在文末附帶提及鍾泰的易學思想與太谷學派易學思想的可能聯繫。

二　兩岸學界《莊子發微》研究成果綜述

　　關於鍾泰《莊子發微》的前人研究，學位論文部分有郭曉麗、楊櫟群、楊恆宇、牟曉麗等人的研究成果。楊櫟群[15]、楊恆宇[16]兩人對於《莊子發微》以《易》論《莊》的部分只有資料的羅列，缺乏說明。牟曉麗則將《莊子發微》放在宋明清三代以《易》解《莊》的學術源流下理解，由此可見雖然同為以《易》解《莊》，但《莊子發微》無論在規模或深度上都有過於前人之處，然而牟曉麗僅提示《莊子發微》有「以易理證《莊》」與以「易象解《莊》」兩個部分，並各舉數例說明，未再細論。[17]郭曉麗將博士

12　繆篆：《明意》（上篇），《新民》第1卷第3期（1935年），頁24。

13　繆篆：《明意》（上篇），《新民》第1卷第3期（1935年），頁25。

14　鍾泰：《莊子發微》（上海：上海古籍社，2002年），頁484。本文所引鍾泰《莊子發微》相關論述，以及《莊子》原文，皆以此本為主。為免文繁，以下除必要之說明，將不再使用隨頁註，而逕於文後標註所出頁碼。

15　楊櫟群，《從〈莊子發微〉探析鍾泰的儒家思想》（內蒙古：內蒙古大學哲學學院碩士論文，2017年），頁27-33。

16　楊恆宇：《鍾泰〈莊子發微〉研究》（河南：河南大學中國古代文學碩士論文，2013年），頁26-28。

17　牟曉麗：《鍾泰〈莊子〉發微研究》（吉林：東北師範大學，2014年），頁15-20。

論文改寫而成的專著《鍾泰學術思想研究》，以鍾泰對《莊子‧消搖游》「鯤化為鵬」的詮釋作為《莊子發微》以《易》解《莊》的代表，指出鍾泰以卦象發明〈消搖游〉「至人無己」的篇旨，並以「無己」作為《莊子》內聖外王之學的關鍵，符合《周易‧說卦傳》「窮理盡性以至於命」的奧旨，但試觀郭曉麗所引《莊子發微》的原文段落，皆未提及「窮理盡性以至於命」，也未提及鍾泰將「窮理盡性以至於命」置於《莊子》書末作為《莊子》全書大旨的收束（頁753），顯見郭曉麗對《莊子發微》如何以《易》解《莊》的掌握尚有不足。[18]

至於期刊論文方面，有中國學界蔡文錦、周鵬、何善蒙、盧涵及臺灣學界李德材等人的研究成果。蔡文錦認為鍾泰以統計學、群經注經等方法治《莊》，有矯正時下《莊子》學流於空疏浮泛的弊病，故給予《莊子發微》正面的評價。[19]周鵬指出鍾泰治《莊》的學術主張，有從「宗道」到「宗天」，從「以真人為師」到「以聖人為師」，從「《莊》兼孔老之學」到「《莊子》出於孔門顏淵之傳」的前後期轉變，與明清之際覺浪道盛、方以智師徒以《莊子》為儒宗別傳的孔門托孤說相近。[20]蔡文錦與周鵬皆未措意於《莊子發微》與《周易》的交涉。何善蒙與盧涵指出歷代對《莊子‧消搖游》「鯤鵬」意象的註釋多有重意而輕象的傾向，而鍾泰以《周易‧說卦傳》「乾坤六子」釋鯤鵬，達至「意」與「象」的融合，相較於鍾泰以《論語》、《孟子》釋《莊》的部分，鍾泰以《周易》解《莊》的視角則更為完整而原始。[21]李德材將鍾泰對《莊子‧天運》「黃帝咸池論樂」一節的註釋與歷代註釋對比，並指出鍾泰以艮卦位居東北方的特性釋「北門成」人名，以咸卦☲卦體上兌下艮二氣相感的特性釋「咸池」樂名，又以震卦、豫卦及艮卦釋「始聞之懼－復聞之怠－卒聞之而惑」，李德材認為鍾泰利用卦象解釋《莊子》如何把聆聽樂曲的過程轉化為天道運化的歷程，是非常精湛的詮釋。[22]何善蒙、盧涵及李德材的研究成果與本文對鍾泰以《易》解《莊》面向的關注較為相合，足資參考。

綜觀前人對《莊子發微》的研究成果，較多集中在鍾泰學術淵源的探討，對於鍾泰如何以《易》解《莊》的部分關注度不足。而少數學者雖注意到以《易》解《莊》在鍾泰學術思想占據著一定的重要性，但他們的關注點多集中在鍾泰對《莊子‧消搖游》「鯤化為鵬」的註釋或其他零星的單一章節，缺乏更為全面的論述。根據筆者的觀察，

---

18 郭曉麗：《鍾泰學術思想研究》（北京：人民出版社，2014年），頁187-192。

19 蔡文錦：〈論鍾泰先生的《莊子發微》〉，《揚州大學學報（人文社會科學版）》第2期（2004年），頁40-44。

20 周鵬：〈略論鍾泰莊子學思想的儒學化轉向〉，《孔子研究》第3期（2017年），頁127-139。

21 何善蒙、盧涵：〈鍾泰「《莊子》取象於易」說淺探——以《逍遙遊》篇疏解為中心〉，《周易研究》第2期（2019年），頁50-56。

22 李德材：〈《莊子‧天運篇》「黃帝咸池論樂」哲學義蘊新探——以鍾泰《莊子發微》為核心的詮釋〉，《應用倫理評論》第65期（2018月10日），頁207-232。

《莊子發微》作為一部806頁的皇皇鉅著，其中以《易》解《莊》的部分雖然看似鬆散地見於不同章節，但其實有一條關鍵線索將它們串連起來，那即是鍾泰對《周易·說卦傳》「窮理盡性以至於命」與《莊子》文義的會通。通過重新解讀《莊子發微》對「窮理盡性以至於命」的詮釋，筆者希望為《莊子發微》架構一個詮釋的系統，俾使欲一窺《莊子發微》堂奧的讀者，不致炫惑於鍾泰的博學，而喪失鍾泰著書的大旨所在。

三 以「窮理盡性以至於命」為文眼貫串《老子》、《莊子》、《中庸》

鍾泰（1888-1979），字訒齋，號鍾山，江寧人，早年攻讀於江南格致書院，曾受學於太谷學派的黃葆年（1845-1924），並赴日就讀東京大學，畢業返國後精研中國哲學，著作有《中國哲學史》、《荀註訂補》、《春秋正言斷詞三傳參》、《校定管子侈靡篇》、《莊子發微》、《顧詩箋校訂》及《訒齋論語詩》等。[23]

鍾泰的《莊子發微》承襲了太谷學派「以《易》解經」的學風，其書主旨認為《莊子》的內聖外王之學本於孔門顏淵之傳，以「取象於《易》，取義於老」（頁6）、「以《易》勘《莊》，以《莊》合《易》」（頁484）等方式，試圖以此證明：雖然《莊子》少談易理，但其學說內涵卻暗合易道精義。可以說《莊子發微》亦屬於以儒解莊的研究取徑，對莊學研究領域影響甚大。比如楊儒賓將「莊子儒門說」在思想史的流衍分成魏晉、明末及民國三個高峰。在民國時期，將《莊子》詮釋為一種溝通中西文化的積極哲學，有嚴復、章太炎、鍾泰等學者，而鍾泰的學說又是其中最具代表性者。[24]

鍾泰於《莊子發微》的序言開宗明義就講：「莊子之學，實淵源自孔子，而尤於孔子之門顏子之學為獨契」（頁2），又認為《莊子》書中部分對儒家的非議，與《荀子·儒效篇》依照品學優劣將儒者判分為三等的意圖一樣，都是「欲存儒之真者，必絀儒之偽」（頁3）。然而，《莊子》與孔門之學究竟是什麼關係呢？

考索《莊子發微》，鍾泰多次提及《周易·說卦傳》的「窮理盡性以至於命。」[25]在論述《莊子·內篇·人間世》通篇大旨時，鍾泰認為《莊子》書中蘊含的內聖外王之學，本於「窮理盡性至命」，因此足以「發仲尼之微言，揭《周易》之奧旨」（頁75）。而在解釋《莊子·雜篇·列御寇》末段「以不平平，其平也不平；以不徵徵，其徵也不徵」以下的文義時，鍾泰又以「窮理盡性以至於命」作為收束，並認為「其語雖簡，然一篇之大義盡於此，即一書之大義亦盡於此。」（頁753）鍾泰指出〈列御寇〉是《莊

---

23 本文關注的焦點放在《莊子發微》文本，故不對鍾泰的生平多做介紹。欲更深入了解鍾泰者，可披覽郭曉麗的著作。參見郭曉麗，《鍾泰學術思想研究》，頁7-55。

24 楊儒賓：〈也是莊門內的儒學〉，《人文與社會科學簡訊》19卷4期（2018年9月），頁173。

25 魏·王弼注；晉·韓康伯注，《周易·說卦傳》，收入《四部叢刊正編》經部第1冊，卷9，頁53。

子》一書的實質結尾，而〈天下〉則是《莊子》的後序或提綱（頁753-754）。循此綜觀《莊子發微》全書，雖未挑明「窮理盡性以至於命」是「以《易》勘《莊》，以《莊》合《易》」的核心概念，但在闡釋〈內篇〉的〈人間世〉時甫提「窮理盡性以至於命」，再到〈雜篇〉的〈列御寇〉將「窮理盡性以至於命」作為《莊子》全書的大旨，在這整個釋義過程，我們的確可以看到鍾泰以易象為輔、以易理為弼，逐步開展出《莊子發微》的層層義理，也一步步確立「窮理盡性以至於命」是全書的文眼[26]，讓那些看似瑣碎無序地分散在各個篇章裡與《莊》《易》合釋相關的文句，皆可以統合在「窮理盡性以至於命」這個主軸之下作解。而「窮理盡性以至於命」不僅是《莊子》的文眼，也是《周易》的精要，故可以根據這句話將《莊子》與《中庸》、《老子》貫串起來，如鍾泰所言：「《莊子》與《中庸》多通者，《中庸》出於《易》，《莊子》亦出於《易》」（頁640）、「《老子》、《莊子》其學皆出於《易》」（頁792）。

本文首先確立《莊子發微》的文眼，而接下來的任務則分成兩個階段，第一個階段就是整理《莊子發微》裡提到的易學家對「窮理盡性以至於命」的註釋，再將這些易學家的註釋與鍾泰的註釋放在一起比較同異；第二個階段則是以類似佛經的科判方式，將《莊子發微》裡那些與易理、易象相關的分散段落，根據第一階段所得到的結論，進一步組織起來，為鍾泰的《莊》《易》合釋整理出眉目較為清晰的架構。

四　本體論、境界論與工夫論：從「窮理盡性以至於命」開展出《莊子發微》的詮釋架構

《周易·說卦傳》的「窮理盡性以至於命」是鍾泰以《易》解《莊》的主軸。但這句話究竟是在什麼背景下被提出的？我們先看原文：

> 昔者，聖人之作易也，幽贊神明而生蓍，參天兩地而倚數。觀變於陰陽而立卦；發揮於剛柔而生爻；和順於道德而理於義；窮理盡性，以至於命。

> 昔者，聖人之作易也，將以順性命之理。是以立天之道，曰陰與陽；立地之道，曰柔與剛；立人之道，曰仁與義。兼三才而兩之，故易六畫而成卦。分陰分陽，迭用柔剛，故易六位而成章。[27]

26　何謂「文眼」？劉熙載《藝概》云：「揭全文之指，或在篇首，或在篇中，或在篇末。在篇首，則後必顧之；在篇末，則前必注之；在篇中，則前注之，後顧之。顧、注，抑所謂『文眼』者也。」揆諸《莊子發微》以「窮理盡性以至於命」置於《莊子》全書的結尾為其基調定音，而在書中又處處引用此句作解，蓋即居於篇末之文眼也。參見清·劉熙載著，葉子卿點校：《藝概》（杭州：浙江人民美術出版社，2017），卷1，頁43。

27　魏·王弼，晉·韓康伯：《周易王韓注》（臺北：大安出版社，1999），頁235。

《說卦傳》的原文是在解釋聖人作易的起源，兩段文字相互呼應。聖人制易的動機是「以順性命」、「幽贊神明」，為了深入生命的原理，彰顯幽微的天機，故以蓍草排列卦爻，卦爻的形式是效仿天地之道，先以天地人三才類比天象而成三爻，再根據長養萬物的地道將三爻倍之而成六畫。[28]這六畫卦裡包蘊著陰陽運化的立天之道、柔剛消長的立地之道與和順仁義的立人之道。[29]通過推衍卦象，來窮究世間萬物的道理，盡可能發揮人的天性，以臻至生命的極詣。

　　這裡的關鍵之處在於應如何理解「窮理盡性以至於命」這句話。歷代學者的看法大抵可以分成兩種：（一）「理」「性」「命」是從三個不同的角度去闡釋一以貫之的易道；（二）「理」「性」「命」是用反復互言的修辭去形容一以貫之的易道。這兩種解釋的差別在於，持看法（一）的學者認為在經過「窮理」與「盡性」兩個步驟之後才能「以至於命」，較注重由「下學」而「上達」的次第性開展；持看法（二）的學者則認為在「窮理」的同時即包含著「盡性」與「以至於命」，側重於「先立乎其大」[30]，以易道之通貫性作為學問之本。持看法（一）的學者至少有虞翻[31]（164-233）、孔穎達[32]（574-648）、朱熹[33]（1130-1200）、項安世[34]（1129-1208）、陳淳[35]（1159-1223）、徐幾[36]（？-？）、

28　關於「參天兩地而倚數」究屬何義，古來各家的解釋不一。《莊子發微》曾引用收入李鼎祚《周義集解》的虞翻說法作為解釋坤卦、師卦的立論佐證，為顧及其文脈，因此這裡也採用虞翻的解釋：「虞翻曰：倚，立。參，三也。謂分天象為三才，以地兩之，立六畫之數，故倚數也。」另外，虞翻在解釋〈繫辭傳〉的大衍之數是如何「引而伸之」推變成繁複卦象時，亦說：「引謂庖犧引信三才，兼而兩之以六畫。」從虞翻對〈說卦傳〉、〈繫辭傳〉的解釋來看，他對於卦爻起源的看法是一致的。參見鍾泰：《莊子發微》，頁5、頁769。唐・李鼎祚輯：《周易集解》（臺北：臺灣商務印書館，1983年），卷17，頁339、頁403。

29　關於天地人的三才之道與陰陽、柔剛、仁義這三組概念，在六畫卦裡應該如何呈現，本文的白話釋義參考了朱熹的說法，因為並非本文欲討論的重點，故將相關說明放在註腳。朱熹認為：「以一卦言之：上兩畫是天，中兩畫是人，下兩畫是地；兩卦各自看：則上與三是天，五與二為人，四與初為地。」、「如上便是天之陰，三便是天之陽；五便是人之仁，二便是人之義；四便是地之柔，初便是地之剛。」參見宋・朱熹，宋・黎靖德編：《朱子語類》，收入《景印文淵閣四庫全書》第701冊（臺北：臺灣商務印書館，1983年，據國立故宮博物院藏本影印），卷77，頁608-609。

30　此處借《孟子》語。《孟子・告子上》：「先立乎其大者，則其小者弗能奪也。」參見漢・趙岐注：《孟子》，收入《四部叢刊三編・經部》第2冊（臺北：臺灣商務印書館，1966年，上海涵芬樓借清內府藏宋刊本景印），卷11，頁95。

31　虞翻曰：「以乾推坤，謂之窮理，以坤變乾，謂之盡性。性盡理窮，故至於命。」參見唐・李鼎祚輯：《周易集解》，卷17，頁404。

32　《周易正義》疏：「窮極萬物深妙之理，究盡生靈所稟之性，物理既窮，生性又盡，至於一期所賦之命，莫不窮其短長，定其吉凶。」參見唐・孔穎達編撰：《周易正義（下經）》（臺北：臺灣古籍出版公司，2001年），頁383。

33　朱熹《周易本義》：「窮天下之理，盡人物之性，而合於天道，此聖人作易之極功也。」參見宋・朱熹：《周易本義》（臺北：臺大出版中心，2016年），卷4，頁267。

34　項安世曰：「和順於道德而理於義，自幽而言以至於顯，此所謂顯道也。窮理盡性以至於命，自顯而

來知德[37]（1526-1604）等人；持看法（二）的學者則有韓康伯[38]（226-249）、何楷[39]（1594-1645）等。

上述持看法（一）的學者，他們對於「理」「性」「命」架構的觀點還可以再做細分。如孔穎達、朱熹、陳淳將「理」理解為外在的「事物之理」，將「性」理解成內在的「人之天性」，朱熹、陳淳由「物－人」的範疇說性理合一的天命，而孔穎達則仍將「至命」之命解為人的一期生死之命；項安世以「理」為天道之顯，以「命」為天道之微，上承程頤「體用一源，顯微無間」[40]的主張，以「顯－隱」作為闡釋的範疇；徐幾則是回歸《周易》本經，以「爻義」釋理，以「卦德」釋性，用「分－合」作為闡釋的範疇；來知德則以「理」為物之變，以「性」為物之常，採取「變－常」作為闡釋的範疇；虞翻的說法則有較深的意趣，他認為「窮理」是「以乾推坤」，「盡性」是「以坤變乾」，並在解釋《乾》卦九三爻時又說「乾為德，坤為業，以乾通坤，謂為進德修業。」[41]，乾指內在的德性，坤指外在的事業，「以乾推坤」即是「以乾通坤」，意指君子不僅要「以乾通坤」維持一貫的德性去從事不同的事務，同時也要「以坤變乾」根據不同事務的差異來調整自己的做法，如此「進德」與「修業」互為循環，輾轉增上乃至上達天命，可以說虞翻是採取動態的「通－變」作為闡釋的範疇。在這些學者之中，最需要留意的是朱熹、陳淳、徐幾對「以至於命」的看法，朱熹將「命」解為「天道」、陳淳將「命」解為「公共底道理」、徐幾將「命」解為「天命」，鍾泰對於「以至於命」的解釋大致不脫以上宋儒的理學脈絡。

鍾泰《莊子發微》對於「窮理盡性以至於命」的詮釋，與以上持看法（一）的學者比較接近，皆傾向於次第性的開展。例如他在解釋《莊子・天地》「性修反德，德至同

言以至於幽，此所謂神德行也。」參見清・李光地撰集：《御纂周易折中》（臺中：瑞成書局，1998年），卷17，頁1646。

35 陳淳曰：「理與性對說，理乃是在物之理，性乃是在我之理，在物底，便是天地人物公共底道理。在我底，乃是此理已具得為我所有者。」參見清・李光地撰集：《御纂周易折中》，卷17，頁1646。

36 徐幾：「善觀易者，推爻義以窮天下之理，明卦德以盡一己之性，窮理盡性，則進退存亡得喪之大道可以知，而天命在我矣。」參見清・李光地撰集：《御纂周易折中》，卷17，頁1646。

37 來知德《周易集註》：「窮理者謂易中幽明之理，以至萬事萬物之變，皆有以研窮之也。盡性者，謂易中健順之性，以至大而綱常，小而細微，皆有以處分之也。至于命者，凡人之進退存亡得喪，皆命也。今既窮理盡性，則知進知退，知存知亡，知得知喪，與天合矣，故至于命也。」參見明・來知德：《周易集註》（新北市：養正堂文化，2017年，師思本），卷15，頁1442。

38 韓康伯：「命者，生之極，窮理則盡其極也。」參見魏・王弼，晉・韓康伯：《周易王韓注》（臺北：大安出版社，1999年），頁235。

39 何楷：「窮盡至，皆造極之意。性者理之原，理窮則逢其原，故窮理所以盡性。命者性之原，性盡則逢其原，故盡性所以至命，只是一事。」清・李光地撰集：《御纂周易折中》，卷17，頁1647。

40 程頤《伊川易傳》：「至微者理也，至著者象也。體用一源，顯微無間。」參見宋・程頤：《伊川易傳》，收於《叢書集成三編》（臺北：新文豐出版公司，1997年），第9冊，卷1，頁58。

41 唐・李鼎祚輯：《周易集解》，卷1，頁11。

於初」時說：

> 觀夫常人於物之生殺榮枯，漠然若無關於己。已足知其陷於軀殼之小，而失其性
> 命之全矣。故若欲還源返本，即非實下修之功不可。何以修？亦率其性以上達夫
> 其德而已矣。故曰「性修反德，德至同於初」。此言「德至」，與《繫辭傳》
> （按：應為《說卦傳》）言「盡性以至於命」之至同。「至」者上達，中間煞有層
> 次，非謂一蹴而便至也。（頁262）

這段話有三點值得留意：第一、鍾泰根據《莊子》的文義，承認有一種人與天地未分之
前的整體／本體狀態：「性命之全」；第二、鍾泰同意《莊子》「性修反德」之說，認為
人可以通過修德來返回性命之全的狀態；第三、鍾泰認為性修反德的過程並非一蹴而
就，必須經由下修，方能層層上達。由此就衍生出三個層面的問題：就「本體論」[42]層
面而言，作為宇宙根源的「性命之全」是怎樣一種狀態？就「工夫論」[43]層面而言，下
修的方式應該如何展開？以及從「境界論」[44]層面來看，我們應如何評斷自己目前在
「性修反德」過程中所臻至的境地？

　　綜觀《莊子》原文中，這三個層面的問題互相交織，實不容易確切地分辨。在《莊
子·寓言》裡，就有一段關於體悟歷程的抽象敘述：「顏成子游謂東郭子綦曰：自吾聞
子之言，一年而野，二年而從，三年而通，四年而物，五年而來，六年而鬼入，七年而
天成，八年而不知死、不知生，九年而大妙。」（頁658）鍾泰憑藉《易傳》與《莊子》
文義的扣合，將《莊子》行文裡涵義曖昧的形容詞彙一一開解，向讀者展示一幅下學上

---

42 這裡可能會衍生出的問題是「什麼是本體？」鍾泰界定下的本體不能不說是帶有朱熹理學的色彩，
　　具有某種「以整體為本體」的傾向，通過對於此世的承擔，以尋求全體人類最大的福祉，將此過程
　　所發生的一切詮釋為終極意義，最終將對於此世的承擔化為某種信仰，並逼顯出積極剛健的〈易
　　傳〉宇宙觀。

43 關於工夫論的涵義，吳怡指出：「對應於境界的工夫有兩種，一種在尚未達到境界之前，是通向此一
　　境界的工夫；一種在達到境界之後，是具此境界所表現的功力。可是很多人只注重後者，而忽略了
　　前者，實際上，前者才是真正的工夫。沒有前者就沒有後者。」筆者贊成吳怡此說，故此處不採
　　「即本體是工夫」的論述進路，而是先將本體論、工夫論與境界論做一區分。參見吳怡：《逍遙的莊
　　子》（臺北：東大圖書公司，1896年），頁51。

44 關於境界論的涵義，杜保瑞認為：「境界本指主體的狀態，以本體論與宇宙論的進路來說境界者，即
　　為提供最高級主體境界的存在狀態之知識說明系統者，此為形上學知識與境界哲學之互動關係。但
　　境界之達至是需要主體進行實踐活動的努力歷程的，此即工夫理論與境界哲學之相關涉之問題。」
　　筆者以為此處應當再做「實踐哲學」與「哲學實踐」的區分，若就「實踐哲學」而言，是先擬想到
　　或偶然體驗到某種體道經驗，故可以從本體論的進路來闡發境界的涵義；若就「哲學實踐」而言，
　　乃著重於論述如何再次回到體道經驗之中，屬於工夫論進路。實際上「實踐哲學」與「哲學實踐」
　　乃一詮釋循環的動力結構，但為顧及文章脈絡之清晰性，故此處筆者主要採「哲學實踐」的工夫論
　　進路來討論鍾泰《莊子發微》的境界論。參見杜保瑞：〈程頤工夫境界型態的儒學建構〉，《揭諦》第
　　8期（2005年4月），頁3。

達的性修反德次第圖：

> 此自入手以至成功，其次有九，然大概分之，亦可為三：由「野」而「通」，
> 《易》之所謂「窮理」，故從、通為韻；由「物」而「鬼入」，《易》之所謂「盡
> 性」，故物、來、入為韻；由「天成」而「大妙」，《易》之所謂「至命」，故成、
> 生為韻。（頁659）

鍾泰在這裡不僅賦予了《莊子》原文更明確的次序性，同時也將「窮理盡性至命」分成
三個階段，雖然他並未言明如此劃分的用意，但徵諸《莊子發微》其他地方對「窮理盡
性至命」的闡釋，大致可以釐清鍾泰的思考脈絡。比如談到〈列御寇〉篇莊周臨終前發
出「而愚者恃其所見，入於人，其功外也，不亦悲乎」的感嘆，鍾泰認為：

> 悲不在死，而在不達於生、不達於知、不達於命也。《易·說卦》曰：「窮理盡
> 性，以至於命。」不達於知，何以窮理！不達於生，何以盡性！不達於命，更何
> 以至於命乎！「以不平平」以下，其語雖簡，然一篇之大義盡於此，即一書之大
> 義亦盡於此。（頁753）

此段以「達知」為「窮理」，以「達生」為「盡性」。若再與上述對〈寓言〉的詮釋合而
觀之，就形成鍾泰「以《易》勘《莊》，以《莊》合《易》」的初步詮釋架構。《易傳》
的「窮理」即是「達知」，亦是《莊子·寓言》的「野」、「從」、「通」；《易傳》的「盡
性」即是「達生」，亦是《莊子·寓言》的「物」、「來」、「鬼入」。鍾泰認為，「野」即
放開胸襟接納事物，不囿於一己之見（頁24-25、658-659）；「從」即《莊子·外物》所
言至人游世能夠和順於人且不失己（頁641-642、659），體察到萬物彼此間的差異性；
「通」即《莊子·齊物論》所言「達者知通為一」，通達的人能夠在看似相異的事物之
處發現一貫的道理（頁42、659）。筆者認為，鍾泰所詮釋的「野」、「從」、「通」三者，
可以說是從事世間學問的步驟，亦即是《莊子發微》的「窮理」工夫論。另外，鍾泰認
為，「物」即是《莊子·山木》所言的「物物而不物於物」，能夠影響萬物而不為萬物所
影響（頁438、659）；「來」即《莊子·人間世》「鬼神將來舍」，指透過心齋的虛己工夫
進而體會到天地之化的大用（頁87-88、659）；「鬼入」即《莊子·繕性》「反一無跡，
深根寧極」、《周易·繫辭傳》「退藏於密」、《老子》「歸根復命」之謂，意指大道風行天
下之後，莫見聖者之功（頁357-358、659）。筆者認為，鍾泰所詮釋的「物」、「來」、
「鬼入」三者，乃是指人格修養的境界，先由外物不能動其心始，繼之以體悟天地造化
之大道，最後以道行天下而聖人無功歸諸於自然為終，此即《莊子發微》的「盡性」境
界論。合「窮理」工夫論與「盡性」境界論兩者，方才轉向探討「至命」本體論之「天
成」、「不知死、不知生」與「大妙」。鍾泰在此處的說明，意近於朱熹、陳淳等人，以
物之理與人之性相合而說天命的闡釋方式。

我們應如何理解鍾泰以《易》解《莊》的方式？首先，鍾泰以《易傳》的「至命」作為其表達終極關懷的語境。若欲「至命」，必先達於知、生、命三者。《莊子》〈達生〉即提到對於知、生、命的了達之境是：「達生之情者，不務生之所無以為；達命之情者，不務知之所無奈何」（頁409）。鍾泰釋云：

> 「達」如《秋水篇》「知道者必達於理」之達，謂通徹也。「情」者，實際理地。「生之情，命之情」即生之所以為生，命之所以為命也。「生之所無以為」，性分以外之事。「知之所無奈何」，知力不及之地。「不務」者，不役心於是也。（頁410）

在此鍾泰將「知道」與「達理」劃上等號，皆指通徹知、生、命三者的實際理地，故「知道」、「達理」實際上也就是「至命」的轉繹。再觀鍾泰將「至命」與〈人間世〉之「莫若為致命」互訓（頁93-94），可知鍾泰基本上將《易傳》「至命」與《莊子》語脈下以「命」作為大道之源的用法等而視之。「命」在《莊子》裡是用於指稱渾化道體的另一抒義字。王小滕認為，從〈天地〉「且然無間謂之命」將命形容為流變無間的狀態，回觀《莊子》對「命」字的表述，可知《莊子》所論之「命」實為超越一切二元對立概念的絕待之境，故無論人生處於何種殘缺境遇，皆是大道總體性的一環，由此無限豐盈的命之整體觀，來翻轉有限視角下的命定觀，故〈寓言〉云：「莫知其所終，若之何其無命也？莫知其所始，若之何其有命也？」，通過對命之有無的正反詰問，翻轉顛覆一般常識思維下的有限之命。[45]筆者根據王小滕對「命」的解釋，回觀鍾泰以《易傳》「至命」作為《莊子》知道達理的終極關懷，可知「至命」實際上就是體道。而窮理、盡性則是契入至命體道之境的兩種不同工夫路徑。根據林修德的看法，歷來學者對《莊子》「工夫論」的研究大抵可分為「主客二分」與「主客合一」兩種方式。[46]筆者認為，鍾泰在以《易》解《莊》時，是以「窮理」詮釋《莊子》文本可能蘊含的「主客二分」體道方式，同時以「盡性」作為《莊子》「主客合一」體道方式的代稱。主客二分之窮理，以及主客合一之盡性，兩者同時具備，彼此相須，方有至命的可能。因此，鍾泰所言的「窮理」、「盡性」，實際上是分別從兩個面向來描述同一個體道歷程：在「盡性」而行的瞬間，似乎也「窮」極了道「理」的根源。體道者所達至的天命，就是參與大道整體的施化運行，而非進入一寂默孤懸的靜態的永恆。這種動態的「至命」觀，接近虞翻「通－變」的闡釋範疇。至於為什麼會有這種狀況發生，我們往往說不出所以然。就如《莊子‧達生》裡孔子詢問呂梁的蹈水者，為何他可以在變化萬千的水勢中出入自得，蹈水者只回答：「亡。吾無道。……長於水而安於水，性也；不知吾所以

---

45 王小滕：〈莊子「安命」思想探析〉，《東華漢學》第6期（2007年12月），頁46-48。
46 林修德：〈《莊子》工夫論之研究方法省思〉，《東華中國文學研究》第9期（2011年6月），頁12-16。

然而然，命也。」鍾泰對此解釋道：

> 「不知吾所以然而然，命也」言自然而然，孔子所謂「安而行之」，孟子所謂
> 「行所無事」也。此語於此文中為最精，而亦最要。一切學問，不至此境地，皆
> 不得謂之成，《易傳》所以言「盡性必以至於命」也。（頁427-428）

以「不知其所以然而然」作為一切學問最終成就的境地，是將其當作窮理工夫之至深
處，盡性境界之至高處，此即「至命」的意涵。鍾泰又以《莊子·德充符》的「獨成其
天」、《莊子·大宗師》的「不死不生」、《莊子·天地》的「神之又神，而能精焉」三處
文義與「至命」互訓（頁659）。所謂「獨成其天」，是指忘掉是非計較的私德，[47] 恢復
「道者為之公」[48] 的天德，重點放在安於一己之命限而達乎至公之天命，此即天人合一
的本體；「不死不生」指透過是非膠擾中鍛鍊而得的寧定心境「攖寧」，同化於「善吾生
者，乃所以善吾死」的自然機制「大塊」（頁142-147），重點放在千錘百鍊「攖而後
成」的「外化而內不化」[49] 之心，即人盡己之性所能達致的不以一己生死為念的最高境
界；「神之又神，而能精焉」是形容深識幾微的體道者具有王天下之德（頁251-252），
因其不以一己死生為念，動靜皆符合至公之天命，「有人之形，無人之情」[50]，故能
「物物而不物於物」[51]，雖然自己也是天地間受於命限之一物，但由於安於命限達乎天
命，故能影響萬物而不被一己之私情所左右，《莊子·天地》形容體道者與萬物之間的
關係是「故其與萬物接也」、「而萬物從之乎」，人既然也是天地間之一物，那麼體道者
自然也須主動參與天命的流行。與一般人安於命限的被動受制不同，鍾泰認為《莊子》
所談的「安命」當與「忘身」合觀，所謂「忘身安命，則盡性矣」（頁91）。而安命又與
致命、至命一揆，比如《莊子·人間世》孔子勸誡葉公子高的「莫若為致命」，歷代有
注者解為「達成君主賦予的使命」，鍾泰則持相異的看法：

> 「致命」，即《易·困卦象》曰「君子以致命遂志」之致命，與上「天下有大戒
> 二、其一命也」，及「知其不可奈何而安之若命」，兩「命」字相應。常解以致君

---

47 《莊子·德充符》：「聖人不謀，惡用知？不斲，惡用膠？無喪，惡用德？不貨，惡用商？」參見鍾
泰：《莊子發微》，頁123。

48 《莊子·則陽》：「是故天地者，形之大者也；陰陽者，氣之大者也；道者為之公。因其大而號以讀
之，則可也。」參見鍾泰：《莊子發微》，頁619。

49 《莊子·知北游》：「古之人，外化而內不化；今之人，內化而外不化。」參見鍾泰：《莊子發微》，
頁510。

50 《莊子·德充符》：「有人之形，無人之情。有人之形，故群於人；無人之情，故是非不得於身。」
參見鍾泰：《莊子發微》，頁123-124。

51 《莊子·山木》：「若夫乘道德而浮游則不然，無譽無訾，一龍一蛇，與時俱化，而無肯專為。一
上一下，以和為量，浮游乎萬物之祖。物物而不物於物，則胡可得而累邪！」參見鍾泰：《莊子發
微》，頁436。

之命說之，非也。安命，但安之而已，其義淺。致命，則以至於命，其功深。故曰「此其難者」，應「傳兩喜兩怒之言，天下之難者也」。言彼尚非難，難實在此耳。吾引《易・說卦》窮理盡性至命之言以說此文，識者當能知其非強為附會也。（頁93-94）

鍾泰引《周易・象傳》的困卦部分來比擬葉公子高所代表的陷於兩難之境的君子，困卦☱☵的卦體上兌下坎，兌澤為止水，坎水為流水，水漏於下故不通，《繫辭傳》說「困，德之辨也。」[52] 初唐官方易學代表的孔穎達將困卦的象辭解為：君子雖處於困境之中，仍能不改其志，付出一己之生命以遂行志向，[53] 其對「致命」的解釋基本上不脫《論語・子張》「士見危致命」[54] 的範疇，是將困卦「致命」之命解為人的一期生死之命。但宋代以降之易學家如程頤[55]、蘇軾[56]、朱震[57]、朱熹[58]、來知德[59]等，多採「命」、「志」分論，將「志」視為主體意向的展現，將「命」視為不可測的窮通禍福之機。鍾泰較諸宋代易學更進一步，運用朱熹以降宋明理學將《說卦傳》「窮理盡性以至於命」之命解為「天命」的說易傳統，明確地將「致命」解為「至於命，其功深」，使《莊》、《易》之致命觀，皆具有至命體道的終極關懷之義，以此會通《莊》《易》，不僅加深了原本困卦象辭的意涵，也深化了《莊子》的文義。筆者認為，承襲自宋儒易學傳統，將《說卦傳》「以至於命」解為「至於天命」，即是鍾泰《莊子發微》「以《易》勘《莊》，以《莊》合《易》」的詮釋架構裡，隱含著本體論意味之證據。

綜上所述，筆者將《莊子發微》的詮釋架構，總結為三個方面。第一、「窮理」工夫論，這是外在於主體可以被客觀檢證的部分，舉凡應對世間人事物的相關道理皆可以

---

52 魏・王弼注；晉・韓康伯注：《周易・繫辭下》，收入《四部叢刊正編》，經部第1冊，卷8，頁51。

53 孔穎達《周易正義》疏曰：「君子之人，守道而死，雖遭困厄之世，期於致命喪身，必當遂其高志，不屈撓而移改也，故曰致命遂志也。」唐・孔穎達編撰：《周易正義》（臺北：臺灣古籍出版公司，2001年），下經，頁228。

54 晉・何晏集解，《論語》，收入《四部叢刊三編・經部》第2冊（臺北：臺灣商務印書館，1966年，上海涵芬樓借長沙葉氏觀古堂藏日本正平刊本影印），卷10，頁88。

55 《伊川易傳》云：「當推致其命，以遂其志，知命之當然也，則窮塞禍患，不以動其心，行吾義而已。」參見宋・程頤：《伊川易傳》，收於《叢書集成三編》第9冊，卷4，頁145。

56 蘇軾《東坡易傳》：「故水在澤下，為澤无水，命與志不相謀者也，故各致其極，而任其所至也。」參見宋・蘇軾：《東坡易傳》，收入《景印文淵閣四庫全書》（臺北：臺灣商務印書館，1983年），第9冊，卷5，頁87。

57 朱震《漢上易傳》：「命者，消息盈虛之理，君子聽命固窮，自遂其剛大之志。」參見宋・朱震：《漢上易傳》，收入《文淵閣四庫全書》（臺北：臺灣商務印書館，1983年），經部第11冊，卷5，頁163。

58 朱熹《周易本義》：「致命，猶言授命，言持以與人而不之有也。能如是，則雖困而亨矣。」參見宋・朱熹：《周易本義》，卷2，頁178。

59 來知德《周易集註》：「致者造詣也。命存乎天，志存乎我，致命遂志者，不有其命。逆命于天，惟遂我之志，成就一箇是也。」明・來知德：《周易集註》，卷9，頁956。

被納入其中；第二、「盡性」境界論，這是內在於主體的主觀體證，蓋工夫實踐的最終成果需要獲得衡量，這種自我衡量是從更融貫的整合性視野看待自身，非指離於工夫之外別有境界可談。要之，《莊子發微》之窮理工夫論與盡性境界論，只是從兩個不同的面向來指稱同一個至命體道的歷程。第三、「至命」本體論，一旦窮理盡性的主體跨入「不知其所以然而然」的境地，調適上遂合於天命，則此對天命的參贊亦會反過來約束主體接下來的行動，此即類似於朱熹所言的「天命流行。」[60]從窮理盡性到至命的一間之差，在於主體是否能夠忘己而同化於道。

在三個方面裡，《莊子・內篇》即蘊含著「心齋」的工夫論，類似意涵的論述在外雜篇裡也處處可見，這是學界所共許的。但關於《莊子》的境界論、本體論則存在爭議。如牟宗三（1909-1995）認為《老》《莊》的道家式存有論是一套縱貫橫講的境界型態形上學，只說不生之生的「道生」，而不講「創生」，並將一切都寄託於「工夫」這條緯線上，而形成靜態的觀照玄覽，在此觀照玄覽裡，天地萬物都各位其位，並由此開出中國的藝術境界，可以說是有用而無體。[61]但是，中國的藝術境界果如牟先生所言是道家靜態觀照的型態嗎？對此，何乏筆認為以牟宗三為代表的新儒家學說過度強調道德主體，固化了心學與氣論的冷戰架構，而忽略了藝術主體，[62]何乏筆更著重於藝術主體的美學工夫所具有的跨文化批判潛力。賴錫三則認為牟宗三過於片面地凸顯道心的觀照，卻忽略了與道心照面的存有，那萬物不斷自我開顯的天籟，[63]賴錫三強調應該通過存有論的視角轉向，將牟氏《莊子》詮釋中的主客二分格局解消，使生生創化的涵義歸屬於大道的自然流變。雖然何、賴二位學者的觀點在細部上存在著差異，但皆點出牟氏低看了《莊子》思想蘊含的創造力。

對於《莊子》與藝術理論關係的不同解讀，反映出學者對《莊子》學說之本體論、境界論的不同看法。果爾如是，則本文以工夫論、境界論及本體論的三分架構作為《莊子發微》以《易》解《莊》的詮釋系統是否恰當？

其實，我們若將鍾泰對〈消搖游〉「至人無己」、〈應帝王〉「無為事任」這兩處的詮

---

60 朱熹《太極圖說解》：「太極之有動靜，是天命流行也。」宋・朱熹：《太極圖說解》，《朱子全書》第13冊（上海：上海古籍出版社，2002年），頁72-73。

61 牟宗三：《中國哲學十九講》（臺北：臺灣學生書局，1995年），頁121-123。

62 何乏筆認為楊儒賓的「莊子儒門論」從氣學的角度出發，挑戰了固化的儒家思維，「對氣論的重視不僅試圖擺脫冷戰邏輯下的『心學』（唯心論）與『氣學』（唯物論）對立，更要藉由儒家氣學與《莊子》的連接，克服當代新儒家在主體性範式所面臨的困境。簡而言之：當代新儒家對現代化的思考特別著重道德主體，而忽略藝術主體，因而嚴重缺乏對現代美學的體會。」參見何乏筆：〈氣化主體與民主政治：關於《莊子》跨文化潛力的思想實驗〉，《中國文哲研究通訊》第22卷第4期（2012年12月），頁46。

63 賴錫三，〈牟宗三對道家形上學詮釋的反省與轉向：通向「存有論」與「美學」的整合道路〉，《臺大中文學報》第25期（2006年12月），頁323。

釋合而觀之，的確可以發現《莊子》有一種不進行自我評斷而發用於外的境界論。若以佛家語來講，《莊子》語境下的「無己」，是通過內在修養工夫而達致的「不知其所以然而然」的「自行」之境，也就是內聖之道；而「無為」則是此「無己」的內在「自行」之境發用於外的「化他」之境，也就是外王之道。兩者皆有次第性，內聖之道次第性較為隱晦，外王之道次第性較為明顯。無己的內聖自行之境屬於「理」，無為的外王化他之境屬於「事」，兩者相合，就成為鍾泰以《易》解《莊》架構下的境界論。《莊子發微》的境界論最高層次，所指向的是宋儒所言的天命流行之本體，此天命流行之本體即是莊子與儒者所共享的同一個價值來源。值得留意的是，牟宗三認為宋儒對「天命流行」的解讀，可分為程顥、朱熹兩個系統，[64]若本文主張鍾泰的思想近於朱熹，那麼是否鍾泰學說蘊含的本體論架構，就一定與朱熹相同？又，若鍾泰《莊子發微》的本體論架構近似或等同於牟宗三程朱之辨下的朱子系統，那麼鍾泰是否也必須像牟宗三那樣，面對何氏、賴氏等學者對牟宗三過度注重道德實踐之創生義而低看藝術存有之創造性的批判？首先，根據筆者對《莊子發微》的閱讀，並沒有看到如牟宗三那樣對程、朱理學系統的嚴格而細微的分辨。另外，鍾泰稍年長於牟宗三，兩人年代雖有重疊，但沒有見到鍾泰引用牟宗三的學說。故筆者僅就鍾泰所採用的朱子語句，來勾勒出其至命本體論隱約蘊藏的理學血脈，並非強義地將鍾泰之本體論架構逕與朱熹之理學系統畫上等號。若欲對此議題有更進一步的處理，必須將鍾、牟二人對宋明理學的詮釋進行細密的比對，本文限於篇幅無法詳論，當以另文處理之。

另外，筆者以佛家語「自行化他」對鍾泰之註《莊》進行解釋並非任意比附，因為鍾泰自己就曾引用華嚴宗的「四無礙」說，[65]將內七篇之首〈消搖游〉與內七篇之末〈應帝王〉做首尾一貫的詮釋（頁167），而且《莊子發微》以卦象、八卦方位釋《莊》，的確可以看到李通玄《華嚴經合論》以八卦方位比附十方菩薩的影子。[66]不過，《莊子發微》與方山易的關係並非本文的重點，只是做為一個旁證，以證明《莊子發微》中以《易》解《莊》的部分實扮演著全書的關鍵性角色，其中鍾泰對〈消搖游〉「鯤化為鵬」與〈應帝王〉「壺子示相」這兩則寓言的解讀，對於全書的走向更有決定性的影響。以下本文會對這兩則寓言分別論述之，可以讓《莊子發微》以《易》解《莊》的詮釋架構更加明朗化。

---

64 陳祺助：〈「人禽之辨」之本體宇宙論的說明——關於牟宗三先生詮釋明道此一理論的一些討論〉，《當代儒學研究》第8期（2010年），頁156-157。

65 「四無礙」者，事無礙、理無礙、理事無礙、事事無礙也。

66 李通玄以文殊菩薩為位居東北方的艮卦、普賢菩薩為位居東方的震卦、觀音菩薩為位居西方的兌卦。詳見唐·李通玄：《華嚴經合論》，（CBETA 2022.Q1, X04, no. 223, pp. 31b19-32b15）。

五 「無己」的內聖之道：即本體以為工夫的游之心境

鍾泰認為，面對世人各是其是而造成顛連紛繁的世間亂象，《莊子》給出了一帖應世之方，即是「消」融其習心，「搖」動其真機，然後乃能「游」（頁3）。為了向讀者顯示什麼是「游」，《莊子‧消搖游》開篇即以「鯤化為鵬」的寓言場景勾勒游之意趣，然後以蜩、鳩之類棲於枝頭的蟲鳥，與跨海凌雲的鯤鵬做一對比，此即「小大之辯」。

究竟《莊子》的文旨是傾向於讚同鯤鵬跨海凌雲的壯舉，還是認為鯤鵬與蜩、學鳩之間雖然大小有異但各得其所、各適其性，《莊》學史上歷來就有兩派不同的看法。認為鯤鵬與蜩、學鳩之間雖大小有別而價值同等的代表即是郭象的注，郭象說蜩、學鳩所代表的「小」與鯤鵬所代表的「大」，兩者「小大雖殊，逍遙一也」，因為「物各有性，性各有極」，事物各有其存在的限制，只要能過適合自己天性的生活就足矣，所以大鵬無須輕視蟲鳥，蟲鳥也無須羨慕大鵬。成玄英對郭象註的疏解也持相同的看法，認為大鵬與蟲鳥雖然能力有差異，但在各秉其性方面則無所差異，「雖復遠近不同，適性均也。」因為持「適性」的立場，郭象與成玄英均將下文的「之二蟲又何知」的「二蟲」解釋為鵬與蜩，意為大鵬與小鳥雖然形體異趣，但在各適天性方面都是不知其所以然而為之，此即逍遙之大旨。俞樾（1821-1907）則反對郭、成二人的說法，他認為「二蟲」實際上指的就是蜩與學鳩，因此《莊子》的原文是指以蜩與學鳩之小，實不足以知鯤鵬之大。[67] 而鍾泰基本上也是反對郭、成二人的「適性說」，鍾泰指出，郭象是以〈齊物論〉之義來解釋〈消搖游〉，這並非〈消搖游〉的本旨，〈消搖游〉的義旨應是「讚大而斥小」，這從下文的「小知不及大知」可以看出來（頁9-10）。

筆者之所以要對〈消搖游〉「小大之辯」的脈絡稍作交代，是因為我們從鍾泰在此問題上所持的立場就能看出來，《莊子發微》確實存在著某種境界論。蓋郭象、成玄英取消大小兩者在價值上之分野的「適性說」，是從〈齊物論〉的本體論角度立論，但光是執持本體論的立場，會讓《莊子》的學說變成無視不同個體之間所具有的現實差異，若我們延續郭象的這種說法，那麼〈消搖游〉是否有境界論就會成為疑問。即使有人認為在郭象的詮釋下，〈消搖游〉依然可以有一套境界論，但那境界論的意涵也會因為遭到本體論意涵的覆蓋而變得隱晦不明。鍾泰在這方面採取不同於郭象適性說的詮釋策略，他認為鯤鵬所象徵的消搖之游，在體道的意義上優於蜩鳩的小知，這樣〈消搖游〉自然就被逼顯出不同的境界層次了。

準上所述，既然《莊子發微》對〈消搖游〉「鯤化為鵬」的詮釋蘊含著一套境界論，但鍾泰要如何闡發其中意蘊呢？《莊子發微》要如何說服讀者鯤鵬的境界高於蜩鳩？若鯤鵬之大乃是象徵消搖之游的至高境界，那麼相應的就應該以一套解釋效力最強、解釋

---

67 清‧郭慶藩編：《莊子集釋》（臺北：商周出版社，2018年），頁22-23。

範圍最廣的學說對其進行詮釋。為了說明鯤鵬形體之大、飛翔高度之高、飛行距離之遠等等誇飾的想像背後的涵義，鍾泰不得不動用群經之首的《周易》。因為《易》的特性就在於「範圍天地之化而不過，曲成萬物而不遺」[68]，先民作易的原初動機是以卦象概括天地事物的變化，使萬事萬物皆可以代入《易》中作解。〈消搖游〉的鯤鵬之喻雖奇，也無法脫離易象的推衍。於是，鍾泰使用了卦氣[69]、旁通[70]、乾坤六子[71]、大象[72]等一系列易學概念，賦予「鯤化為鵬」這則寓言更為深遠的意義，請看原文：

> 曰「魚」者，取象於卦之中孚。中孚曰：「遯魚吉。」是也。（「遯魚」，從虞氏
> 《易》。）卦氣起於中孚。鄭康成曰：「中孚為陽，貞於十一月子。」正坎之方
> 也。「其名為鯤」者，「鯤」之為言混也。老子曰：「有物混成，先天地生。」是
> 也。繼之曰「鯤之大不知其幾千里」，則所謂「吾不知其名，字之曰道，強為之
> 名曰大」者也。「化而為鳥」者，取象於卦之小過。《小過》曰：「有飛鳥之象
> 焉。」是也。中孚旁通小過，故魚化而鳥。康成曰：「小過為陰，貞於六月
> 未。」則正離之方也。中孚陽而小過陰者，中孚之大象為離，而小過之大象為坎

---

68 魏・王弼注；晉・韓康伯注：《周易・繫辭上》，收入《四部叢刊正編》，經部第1冊，卷7，頁44。

69 卦氣，是以四時節氣的變化規律來理解卦象之間的關係，漢代易學家如京房、孟喜等人推衍尤精。關於卦氣說出處，目前可見最古的文獻是《易緯・稽覽圖》的「甲子卦氣起中孚」。依照朱震《漢上易傳》所收錄的李溉卦氣圖，中孚對應的節氣為冬至。但黃宗羲則指出宋代邵雍不用卦起中孚之說，而改以復卦配於冬至，象徵陰氣將盡，陽氣將生。總之，各家對於卦氣說的見解並不一樣。此處鍾泰仍沿用年代較早的漢代卦氣說。參見漢・鄭康成注：《易緯・稽覽圖》，收入《景印摛藻堂四庫全書薈要》經部第14冊，卷上，頁520。宋・朱震：《漢上易傳》，收入《文淵閣四庫全書》經部第11冊，頁323。明・黃宗羲，《易學象數論》（新北市：廣文書局公司，2019年），卷2，頁74-75。

70 「旁通」，最早見於〈乾・文言〉：「六爻發揮，旁通情也」。虞翻將其創為卦變的方法，即別卦原本的陰爻全部變成陽爻，原本的陽爻全部變成陰爻，如此陰陽相易而成為另一個卦象。例如革卦的旁通就是蒙卦。參見唐・李鼎祚輯：《周易集解》，卷10，頁240。

71 「乾坤六子」，謂乾坤父母卦互相索求而生坎離震兌艮巽六子卦。〈說卦傳〉云：「乾，天也。故稱乎父。坤，地也。故稱乎母。震一索而得男，故謂之長男。巽一索而得女，故謂之長女。坎再索而得男，故謂之中男。離再索而得女，故謂之中女。艮三索而得男，故謂之少男。兌三索而得女，故謂之少女。」魏・王弼注；晉・韓康伯注：《周易・說卦傳》，收入《四部叢刊正編》，經部第1冊，卷9，頁54。

72 「大象」指將六畫之別卦當作一放大的三畫之經卦。以別卦的上、五兩爻當作經卦的上爻，別卦的四、三兩爻當作經卦的中爻，別卦的二、初兩爻當作經卦的初爻。如大壯卦的上、五兩個陰爻合為一個陰爻，四、三兩個陽爻合為一個陽爻，二、初兩個陽爻合為一個陽爻，就形成八經卦的兌卦☱。《朱子語類》在解釋大壯卦時引蔡元定（季通，1135-1198）所言：「此卦多說羊，羊是兌之屬。季通說，這箇是夾住底兌卦，兩畫當一畫。」又，來知德《周易集註》云：「又有卦體大象之象，凡陽在上者皆象艮巽，陽在下者皆象震兌，陽在上下者皆象離，陰在上下者皆象坎。」可以知道至少在宋朝就有卦體大象的說法。參見宋・朱熹，宋・黎靖德編：《朱子語類》，收入《景印文淵閣四庫全書》（臺北：臺灣商務印書館，1983年，據國立故宮博物院藏本影印），第701冊，卷72，頁496。明・來知德：〈易經字義・象〉，《周易集註》，頁23。

也。大象為離而居坎方，大象為坎而居離方，陰陽互根，是乃所以為易也。知夫陰陽互根之理，則知北稱冥，而南亦可曰冥冥矣。「其名為鵬」，「鵬」之為言朋也。《坤卦》曰：「利西南得朋。」得朋猶得明也（詳見虞氏《易》）。鵬言背，艮之止也。言「怒而飛」，震之動也。「海運」者風，巽也。「天池」者澤，兌也。蓋於是坎離震巽艮兌，六子之卦，無不具備。六子之卦備，即六十四卦無不備，而總之者則為乾坤，故後有「乘天地之正，而御六氣之辨」之言也。若以乾卦六爻說之，則鯤者，初爻之潛龍（遯魚，猶潛龍也）；化者，二爻之見龍；怒者，四爻之或躍在淵；飛者，五爻之飛龍在天；後言飛而有待於風之積，則三爻之終日乾乾；去以六月而必息，又所以免於上爻之亢而至悔也。（頁5-6）

在這段話裡我們會碰到的第一個問題就是，為何要以中孚卦☲作為北冥之魚的象徵？根據《莊子發微》文義，中孚卦至少滿足了三個條件，即：（一）中孚卦涉及魚的意象；（二）中孚卦具有開端之意涵；（三）中孚卦可通過卦變而得小過卦☵的飛鳥之象，與〈逍遙游〉的「魚化為鳥」相應。關於條件（一），鍾泰所引的佐證是虞翻版本的中孚卦辭「遯魚吉」[73]，蓋取魚遯於水之意，與下文以乾卦☰初九爻辭「潛龍勿用」釋北冥之魚，兩者前後呼應。餘本的中孚卦辭，多作「豚魚吉」，如此就沒有魚遯於水之意。關於條件（二），中孚卦為何有開端之意？根據漢代易學主流的卦氣說，陰陽二氣的消長變化會形成一年的四季、十二月、二十四節氣，孟喜[74]及《易緯·稽覽圖》[75]認為卦氣起於中孚，即陽氣生於冬至至陰之時，並以坎、離、震、兌四卦分別代表北、南、東、西四方，此四卦不值日，而一年共有三百六十五又四分之一日，餘下六十卦的每一爻各值一年當中之一日，六十卦共有三百六十爻，即有三百六十日，最後剩下五又四分之一日，每日各分為八十分，五又四分之一日即為四百二十分，四百二十分除以六十卦，則每卦各得七分，原本六爻所值的六日再加上此七分，則每一卦都各配屬六日七分，如此就得到一整年陰陽二氣的消長概況。鍾泰既然要以卦象籠罩〈逍遙游〉的文義，則逕行取法於解釋詳盡的漢易卦氣系統，無疑是最優詮釋策略。最後條件（三），為何中孚旁通小過就是魚化為鳥？關於中孚卦的命名古來異解甚多，如《東坡易傳》謂「羽蟲之孚」，即鳥卵的孵化謂之孚，由鳥卵之可孵化引申為君子合天之道，化及於

---

73 對於中孚卦的來源，虞翻曰：「訟四之初也。坎，孚象在中，謂二也，故稱中孚。此當從四陽二陰之例。遯陰未及三，而大壯陽已至四，故從訟來。二在訟時，體離為鶴，在坎陰中，有『鳴鶴在陰』之義也。」李鼎祚案：「虞氏以三至上體遯，便以豚魚為遯魚，雖生曲象之異見，乃失化邦之中信也。」參見唐·李鼎祚輯：《周易集解》，卷12，頁294。

74 《新唐書·曆志》一行〈卦議〉引《孟氏章句》：「自冬至初，中孚用事。」參見宋·宋祁、歐陽修撰：《新唐書》（臺北：藝文印書館，1956年），頁301。

75 漢·鄭康成注：《易緯·稽覽圖》，收入《景印摛藻堂四庫全書薈要》經部第14冊，卷上，頁520。

民，乃至豚魚，皆不失其信，[76]但這種說法十分牽強，豚魚本是被獵捕飼養的動物，止用以裹腹，為何需要取信於豚魚？另外，若根據今人王志平的考據，「中」應作「盅」，表容器的空虛，「孚」本意為「匏」，即葫蘆，先民渡河時會將中空的葫蘆繫於腰間增加浮力以防止下沉，[77]因此中孚卦辭說「豚魚吉。利涉大川，利貞」，即是適合渡水之意，這個說法顯較蘇軾的說法更合理，但王志平未說明為何「豚」亦會吉利。以上隨機舉例與《莊子發微》的詮釋對照，雖然中孚卦的卦辭及六四爻辭皆言豚魚，而小過卦的卦辭、象辭及初六、上六爻辭皆言飛鳥，但實際詮釋的時候很難將兩卦的義涵兜連在一起，因此鍾泰採取的詮釋策略依然是根據漢易的卦氣說，以鄭玄對小過卦的解釋為主，「中孚為陽，貞於十一月子。小過為陰，貞於六月末。」[78]，十一月的冬至是一年當中陰氣最盛的時候，六月的大暑是一年當中陽氣最盛的時候，但根據易道的「變易」、「交易」之義，不會有純陰或純陽的事物節候，萬事萬物必定都是陰陽相合，如《春秋穀梁傳·莊公三年》所言：「獨陰不生，獨陽不生，獨天不生，三合然後生。」[79]因此物極必反，在陰氣極盛的冬至之時就蘊含著陽氣發動的契機，反之亦然。下文以大象推之，中孚☲之大象為離☲，小過☳之大象為坎☵，而鯤鵬之化始自北冥，至於南冥，北方為坎，南方為離，中孚以離象居坎位，小過以坎象居離位，是鯤鵬之化尚未發動之時，兩卦就各自有陰陽交運的太極之象。

再回到《莊子發微》原文，鯤動而化鵬，既是陽氣漸生的過程，也是君子學道的歷程。鍾泰採用了兩種角度來說明鯤化為鵬的意蘊：一、虞翻以「月體納甲說」對坤卦的詮釋。二、乾卦六爻的龍德顯隱。

鍾泰引虞翻對坤卦☷卦辭「利西南得朋」的解釋作為說明，此處說得較為簡略，虞翻的原文是「謂陽得其類，月朔至望，從震至乾，與時偕行，故乃與類行。」[80]用「月體納甲」說震卦☳到乾卦☰的演變，象徵月相由初三的新月出現於西方，直到十五的望月出現於東方，月體的圓缺變化即是陽氣的消長變化。[81]月亮與鯤雖然俱屬陰物，但會逐漸向乾陽轉化，因此鍾泰以月體的「得明」詮釋鯤的「化鵬」。

---

76 《東坡易傳》：「中孚，信也。而謂之中孚者，如羽蟲之孚，有諸中而後能化也。羽蟲之孚也，必柔內而剛外，然則頤閡為不中孚也？曰：內无陽不生，故必柔內而剛外，且剛得中，然後為中孚也。剛得中則正，而一柔在外，則靜而久，此羽蟲之所以孚天之道也。君子法之，行之以說，輔之以巽，而民化矣。」宋·蘇軾：《東坡易傳》，收入《景印文淵閣四庫全書》第9冊，卷6，頁112。

77 王志平：〈《周易·中孚》卦解〉，《中國典籍與文化論叢》第20期（2018年12月），頁7。

78 漢·鄭玄著，宋·王應麟編：《周易鄭康成注》（上海：商務印書館，1936，上海涵芬樓景印元刊本），原書無頁碼。

79 晉·范甯集解：《春秋穀梁傳》，收入《四部叢刊三編·經部》（臺北：臺灣商務印書館，1966年，上海涵芬樓借常熟瞿氏鐵琴銅劍樓宋刊本景印），第2冊，卷3，頁17。

80 唐·李鼎祚輯：《周易集解》，卷2，頁27。

81 黃嘉琳：《虞翻易學的氣論思想研究》（臺北：中國文化大學中國文學系博士論文，2014年），頁400-401。

接著以乾卦六爻釋「乘天地之正，而御六氣之辨」。《周易》以乾卦☰起始，乾卦象徵健動不息的天德，是《周易》六十四卦體系最具代表性的一卦，故以乾卦六爻比擬〈逍搖游〉之六氣。乾卦初九爻辭曰：「潛龍勿用」，意指君子如蜇龍般韜光養晦以待飛天之時，因此鍾泰以龍德之潛釋鯤魚之遯。九二爻辭曰「見龍在田，利見大人」，意指龍德初現於地上，為世人所共見，九二爻居於下卦的中爻之位，王弼認為九二爻雖未如九五爻那樣既中且正，但其德行已與九五爻一般無二，[82]因此鍾泰以「見龍」釋「化鵬」。乾卦九三爻辭曰：「君子終日乾乾，夕惕若厲，无咎。」意指君子處世必須慎而又慎，此時九三陽爻雖當位，但不如九五陽爻之既當位又得中，九三爻雖有君德而無君位，行事若過於強硬易招致災禍，九三爻又居下卦之極，處於銜接上卦的關鍵轉捩點，《繫辭下》云：「三多凶」[83]，故須慎而為之。鍾泰認為此處應當與〈逍搖游〉言「而後乃今培風」[84]合而觀之，若無鵬翼積畜風力，鵬背就無法負荷青天而上，君子若不善養浩然之氣，則無所修身齊天下，故乾卦九三「終日乾乾」乃指〈逍搖游〉「適千里者，三月聚糧」的培風圖南之舉，而大鵬背負青天又有大畜卦☶上九爻辭「何天之衢」之象（頁9），王弼注曰「處畜之極，畜極則通」[85]，故君子乾乾之道即畜德、養氣、培風也。乾卦九四爻辭曰「或躍在淵，无咎」，王弼認為九四爻居於上體之下，去下體之極，將欲靠近九五尊位，然心中猶疑，將躍未躍，進退未定，由於審慎思慮不冒進之故能得無咎。此處爻辭的意涵與〈逍搖游〉的「怒」不同，蓋因「或躍」之「或」是「猶疑」，猶疑則有懼，如《繫辭下》云「四多懼」[86]，不去此猶疑之懼則難以百尺竿頭更進一步，而〈逍搖游〉「怒而飛」之「怒」是「決疑」，因此鍾泰以鯤鵬之怒象徵君子擺脫心中猶疑之懼而奮發振作的一剎那。九五爻辭曰「飛龍在天，利見大人」，經過前面一系列的磨練，君子終於既有其德亦有其位，如王弼注曰：「位以德興，德以位敘」[87]，有德君子因領導天下而利於為萬物所共睹，鍾泰以此象徵大鵬之飛。上九爻辭曰「亢龍有悔」，悔即小瑕疵，蓋人事物發展到亢極之時必會產生變化，若能心中有悔，自我反省，則事態就不至於往凶的方向發展。鍾泰以此釋〈逍搖游〉的大鵬之飛歷經六月乃息，息者止也，鵬飛之息象徵著君子知道自己的極限在哪裡，就能適可而止免於亢龍之悔。

分別從乾、坤兩個父母卦來描述鯤化為鵬的成德體道歷程之後，鍾泰續以「鵬背」為艮卦☶之止、「怒而飛」為震卦☳之動、「海運」為巽卦☴之風、「天池」為兌卦☱之

---

82 王弼曰：「出潛離隱，故曰『見龍』；處於地上，故曰『在田』。德施周普，居中不偏，雖非君位，君之德也。」參見魏・王弼，晉・韓康伯：《周易王韓注》，頁1。

83 魏・王弼注；晉・韓康伯注：《周易・繫辭下》，收入《四部叢刊正編》，經部第1冊，卷8，頁52。

84 《莊子・消搖游》：「風之積也不厚，則其負大翼也無力。故九萬里則風斯在下矣，而後乃今培風；背負青天而莫之夭閼者，而後乃今將圖南。」

85 魏・王弼，晉・韓康伯：《周易王韓注》，頁83。

86 魏・王弼注；晉・韓康伯注：《周易・繫辭下》，收入《四部叢刊正編》，經部第1冊，卷8，頁52。

87 魏・王弼，晉・韓康伯：《周易王韓注》，頁2。

澤，合前述的坎☵離☲二卦而成六子卦。如此就成為一幅八卦相生圖，試以圖示如下：

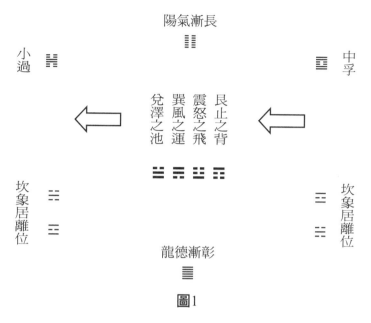

圖1

何善蒙、盧涵指出，歷代註家對於鯤化為鵬僅重其「意」而不重其「象」，鍾泰則藉由《周易》融通「意」「象」。[88] 此固然是鍾泰以《易》解《莊》的特點，但筆者認為鍾泰之所以如此大費周章的針對〈消搖游〉鯤化為鵬做出詮釋，無非是要在一開始就先確立內聖之道在《莊子》境界論上的優位性，其重要性勝過外王之道，苟能內聖，則外王之道自然能夠發用，以下鍾泰在論述「神人無功」時會再一次強調這種差異（頁178）。而鯤化為鵬的寓言隱喻著聖人作易時法天象地的視角，由八卦所撐開的德性宇宙不僅是體道者的游之心境，也是作為天人合一的至命本體論所自我軌約、自我調節的部分。

那麼，在聖人的境界是否還有層次之分呢？鍾泰認為〈消搖游〉所謂的「至人無己，神人無功，聖人無名」就是聖人境界的三個層次，神人之「神」乃是聖而不可知之意，至人之「至」乃是聖之造極，因此至人、神人其實都是在講聖人。聖人之境由不自有其名的「無名」開始，發展至不自有其功的「無功」，最後才能臻至「無己」。「無己」乃是全篇之要旨。蓋若執著於一己之私情，則觸處皆礙，惟有無己而去其私情，方能消搖，方能游世（頁14）。因此，接下來鍾泰以〈消搖游〉的三則寓言分別配屬聖人的三個境界。

首先以堯讓天下於許由而許由不受的寓言，代表「聖人無名」的階段。許由認為堯既已治天下，自己再越俎代庖而治之則名不正言不順，與其為名行事而受名累，還不如

---

88 何善蒙、盧涵：〈鍾泰「《莊子》取象於易」說淺探——以《逍遙遊》篇疏解為中心〉，《周易研究》2019年第2期，頁55。

自給自足。此處涵義歷來多歧，郭象認為帝堯是「治之由乎不治，為之出乎無為」，天下既治而不居其功，其對天下的治理與作為，實際上皆出自於無為的修養境界，較諸拱默山林的許由更高出一籌。成玄英則認為莊子重許由高隱之賢，郭象優帝堯圓照之聖，兩者側重的點雖然不一樣，但其實賢聖兩塗並無高下之分，只要能各安所遇，無捨實而逐名，就不會落於越俎代庖之譏嫌。[89]鍾泰的持論立場與成疏相似，故以「聖人無名」釋之。

次以接輿、連叔對姑射山神人的描述，代表「神人無功」的階段。鍾泰認為，連叔讚嘆姑射神人「將旁薄萬物以為一」，此仍見有物在，直到「孰肯以物為事」一句，才將「無功」之精義發揮無遺（頁19-20）。「功」字可解為功用、作用或功勞，此處兼而有之。郭象注云「順而不助，與至理為一，故無功」[90]，鍾泰的持論與郭相近，皆以聖人順物自然，故能無施而化，不為而成，雖然聖人之作用、功勞不顯，實際上已經參贊了天地萬物的運作，此為其神妙不測之處。

最後，鍾泰指出〈消搖游〉以惠施、莊子之間對「用大」與「無用」的反覆辯證，開顯「至人無己」的真意。鍾泰認為莊、惠兩人辯論時屢言無用，乃是承襲自上文「宋人資章甫而適諸越，越人斷髮紋身，無所用之」而來，宋人持束髮之冠到越國販賣，但越人斷髮紋身，根本不需要宋人之冠，《莊子》以此譬喻姑射神人既不自是其功，亦不受天下所強加給他的任何事物，蓋指一種蕭然脫塵，不受物累的狀態。因此對於惠施批評莊子之言大而無用，鍾泰認為越是執著於有用，則其對於自我的執著也越深，「己自有用而生，而其用愈大，斯其為己也亦愈堅。」（頁22）必須自居於無用，才能化去對自我的執著，無用與無己是一體兩面的概念。而莊子對惠施批評的回應則是「夫子固拙於用大矣」，鍾泰認為莊子之所以言「用大」，意在顯示無用並非真的毫無作用，故鍾泰用《繫辭上》「顯諸仁，藏諸用，鼓萬物而不與聖人同憂，盛德大業至矣哉」[91]來解釋「用大」與「無用」之間的關係，「藏諸用」即是「無用」，「顯諸仁」即是「用大」，惟無用然後能用其大，亦惟用大然後可以無用（頁22）。鍾泰的解釋乍看之下是一循環論證的模式，其實只是反復申說胸懷天下的「至公」視角與個人情意的「至私」視角，公私兩者之間的辯證關係。易言之，某人對於事物的關懷越是深廣，該人的言行就越不會以一己個人之好惡為出發點，其言行會自然符合最適合群體發展的方向，當其言行越是符合群體發展的需要，其言行就會越自然地融入群體，此即「以游無窮」，對於群體的自然融入雖讓該人表面上看起來平平無奇，但其實最平淡處就是最極致處，因此至人就是能夠滅除私情，全心為公之人。當鍾泰詮釋〈應帝王〉時說「密以成其公，公以行其

---

89 清・郭慶藩編撰：《莊子集釋》，頁32。

90 清・郭慶藩編撰：《莊子集釋》，頁30。

91 魏・王弼注；晉・韓康伯注：《周易・繫辭上》，收入《四部叢刊正編》，經部第1冊，卷7，頁44。

密」[92]就是採取類似的觀點，「公」既指明顯可見的外在特徵，亦可以指社會群體的公共關係。

小結地說，筆者認為鍾泰將「無用」與「用大」連結起來以顯示至人無己之意涵，其實是一種帶有儒家色彩的整體論（Holism），以此儒家整體論所撐開的《周易》宇宙觀，充實《莊子》虛化的道體，賦予〈消搖游〉以游無窮的內聖心境更為積極的意涵。[93]而鍾泰將內聖境界劃分為「無名」、「無功」、「無己」三個層次，亦是「即本體以為工夫」的體現。先確認《莊子》蘊藏著盡性至命之學，再以宋儒詮釋下的天命流行作為本體，繼而談此天命流行之本體對於事物的調節軌約，在此自上而下的道體運作之中，自然顯現不同的體道境界以及與之相應的學道工夫。當內聖之道發展至極，就會轉化為外王之道對於事物的影響，即王弼對大畜卦的註解：「畜極而通」。因此內七篇以〈消搖游〉的無己之游啟始，以〈應帝王〉的無為之應而終。[94]

六　「無為」的外王之道：以工夫合其本體的應之事境

體道至人「無己之游」的內聖理境發用於外，即成為「無為之應」的外王事境。觀察聖人應世所顯露的外王事境，可藉此揣摩為學的工夫，進而「以工夫合其本體」，這就是「壺子示相」的寓言所發揮的〈應帝王〉大旨。

「壺子示相」描述神巫季咸善於相人，可以透過觀相斷人吉凶禍福。列子見到季咸的本事，以為季咸的境界比老師壺子還要高，壺子就讓列子請季咸來為自己看相，於是季咸受邀為壺子看了四次相。第一次，季咸見到壺子「杜德機」的「地文」之境，認為

---

[92] 鍾泰云：「是故居南面之任者，可與天下以共見，而卻不可為天下之所窺。與天下以共見者，公也。不為天下所窺者，密也。密以成其公，公以行其密。非聖人其孰能之！此所以外王必基於內聖，而內聖尤難於外王也。」參見鍾泰：《莊子發微》，頁178。

[93] 何善蒙、盧涵亦持與筆者相近的看法：「由上可見，鍾泰從『遊』的角度利用《周易》對《逍遙遊》的詮釋更偏向於境界，這是與以『象』釋『消搖』和以『意』釋『遊』不同的結果。如果說在鯤鵬的寓言中，鍾泰所強調的是將鯤鵬定位在道意象的層面，認為從莊子視角所看到的正是《周易》中的世界結構，進而確定《逍遙遊》在內篇中的位置（《齊物論》才是小大之辨，小大相對）以及莊學與儒家的關係，那麼在以《周易》詮釋『遊』的過程中，鍾泰則意在將『游』與聖人的境界合一，從而使得莊子所追求的自然自由等概念融入儒家所追求的盛德大業之中。因而不僅是在方法上，鍾泰取象於《周易》和取意於《周易》體現了鍾泰莊學儒家化的傾向，而且從目的性來看，鍾泰所呈現的結果也是符合儒家主旨的。」參見何善蒙、盧涵：〈鍾泰「《莊子》取象於易」說淺探——以《逍遙遊》篇疏解為中心〉，《周易研究》第2期（2019年），頁55。

[94] 鍾泰云：「予前解《齊物論》『以應無窮』，引《消搖游》『以游無窮』語比而說之，云：惟能游者能應，亦惟能應者能游。游與應，名異而理則一。蓋游就心言（本書每言游心可見），應就事言。游者理無礙，應者事無礙。合而言之，則理事無礙，事事無礙也（四無礙語，見唐・李通玄《華嚴經論》）。七篇以一『游』字始，以一『應』字終，前後照攝，理至玄微，不觀其通，何以窮『內聖外王』之蘊奧哉！」參見鍾泰：《莊子發微》，頁167。

壺子已無生機;第二次,季咸見到壺子「善者機」的「天壤」之境,又認為壺子尚有一線生機;第三次,季咸見到壺子「衡氣機」的「太沖莫勝」之境,則認為壺子的身心狀況充滿變化,須待穩定下來才能確定。壺子在第三次與季咸碰面後,向列子解說自己到目前為止所演示的三種境界是「鯢桓之審為淵,止水之審為淵,流水之審為淵」。第四次,當季咸見到壺子「虛與委蛇」的「未始出吾宗」之境時,尚未立定腳跟就倉皇遁走,因為壺子的境界已超出季咸所能掌握的範圍。列子則通過旁觀壺子與季咸的整個互動過程,從而體悟至道(頁173-174)。

關於「地文」的部分,郭象注為「尸居而坐忘」的「至人無感之時」,成玄英疏則解為「妙本虛凝,寂而不動」[95],偏重其凝心虛靜不為外物所動的特性。鍾泰對此的理解與郭注、成疏不同,他仍從陰陽互根的易道作解:

> 「示之以地文」者,「地」,坤象,陰靜也,而兼言「文」。「文」者,《姤》之「天地相遇,品物咸章」也(見《易・姤卦象辭傳》)。蓋陰陽不孤立,陰根於陽,故老聃曰「至陰肅肅,肅肅出乎天」也(見〈田子方篇〉)。(頁175)

郭注、成疏對地文之「文」,只是籠統地理解為萬物。而鍾泰則從《莊子・田子方》的內文聯想到了姤卦☴,所謂「至陰肅肅」指姤卦的初九陰爻,「肅肅出乎天」則指乾卦,這背後其實蘊藏著卦變的思想。姤卦的卦體上為乾天,下為巽風,由五個陽爻與一個陰爻組成。根據李挺之《六十四卦相生圖》,「乾一交而為姤」、「凡卦五陽一陰者皆自姤卦而來」,[96]姤卦有陰氣初生之象,乃是乾德極盛之時,變自下生,故為柔遇剛,天地交。《象傳》對姤卦有人事與物理兩種解釋,若採人事作解,即「勿用取女,不可與長也」,初六陰爻體性沉靜,埋藏於旺盛陽氣之中,是得勢的女性駕馭著複數男性或得勢的小人操控著有德君子之象,不是長治久安之道,[97]偏向負面意涵;若採物理作解,則純粹的乾陽沒有生物之能,必須與坤陰遇合方始得生,故曰「品物咸章」,姤卦蘊含著化育萬物之意,具有正面積極的意涵。鍾泰是採取姤卦天地化育的積極義來解釋「地文」,賦予了「地文」陰陽相運的生化之機。壺子所示的「地文」之境雖蘊含著陰陽生化的動態,但季咸眼中所見的卻是生機杜絕的「杜德機」,顯見兩人境界高下的落差。

而關於「天壤」的部分,郭象注為「覆載之功」、「應感之容」,成玄英疏亦持此義。[98]不同於郭注、成疏皆將其解為至人心境的由靜趨動,鍾泰以卦象作解,賦予「天

---

95 清・郭慶藩編撰:《莊子集釋》,頁214。

96 宋・朱震:《卦圖》,《漢上易傳》,收入《文淵閣四庫全書》,經部第11冊,卷上,頁318-322。

97 《伊川易傳》:「一陰既生,漸長而盛,陰盛則陽衰矣。取女者,欲長久而成家也,此漸盛之陰,將消勝於陽,不可與之長久也。凡女子小人夷狄,勢苟漸盛,何可與久也。故戒勿用取如是之女。」參見宋・程頤:《伊川易傳》,收於《叢書集成三編》第9冊,卷3,頁139。

98 清・郭慶藩編撰:《莊子集釋》,頁215。

壞」以德性宇宙論的涵義：

> 「示之以天壞」，「天」，乾象，陽動也，而兼言「壞」。「壞」，地也。老子所謂
> 「至陽赫赫，赫赫發乎地」，於《易》則《復》之「見天地之心」也。（頁176）

鍾泰以復卦☷☳解天壞，「至陽赫赫」即初九陽爻，「赫赫發乎地」即指坤卦，如李挺之曰
「坤一交而為復」、「凡卦五陰一陽者皆自復卦而來」[99]。《彖傳》曰：「復，其見天地之
心乎」，從卦象上看，這是坤陰極盛之時，變自下生，陽氣再度返回眾人的視野裡，陽
剛之道逐漸增長，歷來諸儒皆非常重視復卦的初九陽爻，因其象徵著天地生物之心，也
是萬物復甦的跡象。李光地認為天地之心是吾人惟精惟一的道心，顏子之所以能夠不貳
過，就是因其以道心之精觀察自己的細行，無論再微小的錯誤都不放過，同時又能夠持
守道心之恆一，一旦發現錯誤，隨即改正，永不再犯。[100]鍾泰既主張莊子之學出自孔
門顏淵，其對復卦的理解可與李光地的論述共參。「天壞」之境在季咸眼中顯示為「善
者機」，鍾泰認為「善者機」即是《乾卦》元亨利貞之元，意味著生是善之源，此即復
卦所顯示的一陽來復，生機重蘇。

關於「太沖莫勝」的部分，郭象注為「居太沖之極，浩然泊心而玄同萬方，故勝負
莫得厝其間也」，成玄英疏將「沖」解為「虛」，太沖即指無邊無際的虛空。至人之用心
湛然凝虛，不將不迎，物來即照，故其心量與太虛等齊，以凝虛寂照之心為本，以事物
動轉為跡，故本跡相即，動寂一時，泯平俗世勝負相爭的差異性。[101]郭注、成疏將
「太沖」解為太虛，是偏於聖人心境無為靜態的一面。但鍾泰卻本著陰陽互根的易理，
將「太沖」解為「太和」，如此則凸顯了即動即靜，雙照有無的積極義：

> 「示之以太沖莫勝」，「太沖」猶太和也。老子曰：「萬物負陰而抱陽，沖氣以為
> 和。」沖者，中氣也。惟中則和，故太沖猶太和也。「莫勝」者，陰陽交融，莫
> 適為主。若地文，則陰為主而藏於陽；天壞，則陽為主而發於陰。陰為主則陰
> 勝，陽為主則陽勝也。「衡氣機」者，「衡」之為言平也。「氣」，陰陽之氣也。陰
> 陽以交融而莫相勝，故曰衡也。是其於《易》，則《既濟》之象，所謂「剛柔正
> 而位當也」。（頁176）

此處以既濟卦☵☲來描述太沖莫勝之境的陰陽二氣均衡狀態。既濟卦的卦體上為坎水，下
為離火，坎水即《道德經》之「負陰」，離火即《道德經》之「抱陽」，陰陽二氣互本互

99 宋・朱震：《卦圖》，《漢上易傳》，收入《文淵閣四庫全書》，經部第11冊，卷上，頁318-322。

100 李光地案：「『天地之心』，在人則為道心也。道心甚微，故曰復小而辨於物。於是而惟精以察之，
惟一以守之，則道心流行，而微者著矣。顏子有不善未嘗不知，是其精也。知之未嘗復行，是其一
也。」清・李光地撰集：《御纂周易折中》，卷9，頁945。

101 清・郭慶藩編撰：《莊子集釋》，頁216。

根，與前述「地文」偏重陰氣之覆藏，「天壤」偏重陽氣之發動不同，既濟卦是六十四卦中最完美的一卦，其陰陽二氣處於互融並存的平衡狀態，陰陽爻皆當位（陰爻居二、四、六陰位，陽爻居一、三、五陽位）又相應（初九陽爻和六四陰爻相應、六二陰爻和九五陽爻相應、九三陽爻和上六陰爻相應），剛柔皆得中（陰爻居二爻位，即內卦之中爻位；陽爻居五爻位，即外卦之中爻位），承乘皆得當（六二陰爻承載九三陽爻，九五陽爻凌駕六四陰爻）。若依鍾泰的描述，太沖莫勝的衡氣機之象既是陰陽互根最完美均衡的狀態，為何季咸還要說「子之先生不齊，吾无得而相焉。試齊，且復相之」呢？筆者嘗試加以補充，蓋季咸之見地尚屬有所偏至的成心，觀相時只能見到陰勝陽負或陽勝陰負的結果，不能了解陰陽調和的最佳狀態，太沖莫勝分明是最完美渾融的道通為一之境，但季咸卻一定要求出是非高下，因此此處的「不齊」是莊子藉季咸之口說出季咸之不足的一種反諷手法：是季咸不齊，而非壺子不齊；是季咸不能與壺子相應，而非壺子不能與季咸相應。郭象、成玄英及鍾泰雖然都認為「太沖莫勝」是指無分勝負的狀態，但郭、成二人純粹從主觀的心境上解釋，而鍾泰則加入了《周易》德性宇宙觀的詮釋，兼顧了心、物兩方面。由此可以看出鍾泰在繼承前人學說的基礎上，對前人學說有所改易，並提出自己的創見。

下文「鯢桓之審為淵，止水之審為淵，流水之審為淵」，郭象注將重點放在「淵」字，指水本無心，故雖有鯨鯢盤桓之水、止水、流水等不同的水相，水性卻依然淵然玄默，故水相不礙水性，如同至人之心恬淡自適，忘乎得失，故雖身處紛繁事相當中，仍能用捨行藏，為所當為而不以事亂心。成玄英疏大旨與郭象注相同，他以鯢桓譬喻衡氣機之「無勝負」，以止水譬喻地文之「靜態」，以流水譬喻天壤之「動態」，突出三者與前文壺子所示之境的關聯，但三種狀態仍然以主觀心靈境界的「玄默無心」為基底，這讓鯢桓、止水、流水之間的關係扁平化，成為無心之道體的附庸，僅是外顯的事相而沒有高下之分。[102] 而鍾泰對此的詮釋則與成疏相異，雖然鍾泰也認可鯢桓、止水、流水與前文太沖莫勝、地文、天壤之間的關係，但在鍾泰看來，「鯢桓」之相是高於止水與流水的：

> 知鯢桓之喻太沖莫勝者，鯢之為言倪也。《寓言篇》曰：「天均者，天倪也。」均、衡一義。天倪為天均，則鯢桓之為衡氣機無疑。此其一。「桓」，磐桓也。《屯》之初九曰：「磐桓。」屯，剛柔始交之卦也，故磐桓為欲進不進之象，此與「巽」為進退之義通（巽為進退，見《說卦》）。《屯》之下卦《震》也，而通於《巽》，蓋兼地文、天壤而一之，非所謂太沖莫勝者乎？此其二。「止水」、「流水」文對，猶「地文」、「天壤」之文對也。止所謂不震，流所謂機發也。止水流水喻地

---

102 清・郭慶藩編撰：《莊子集釋》，頁216。

文天壤，莫可移易，則鯢桓非指太沖莫勝而何！此其三。且以文章次序言，三淵
接於衡氣機下，首及太沖莫勝，曰鯢桓，而後上溯地文曰止水，天壤曰流水，於
序亦順，吾故斷以鯢桓之為太沖也。舊解多未合，幸讀者詳焉。（頁177）

承接上文以既濟卦詮釋太沖莫勝，此處更加入了《莊子》的「天均」、「天倪」概念來解
釋「鯢」，又以屯卦解釋「桓」。有學者指出，「天倪」是指對於人為分際的超越，而達
致渾化的無分際或自然的分際，「天均」則是超越均平與不均平的二元對待格局所顯現
出自然均平的絕待境界，[103] 此皆可以與水火既濟陰陽莫勝的均衡狀態互參。但是鍾泰
在從既濟卦過渡到屯卦的中間，似乎有一層理解上的跳躍。我們可以問，為何水火既濟
的完美狀態會過渡到屯卦呢？筆者嘗試為鍾泰補充說明，蓋因既濟卦的完美均衡無法持
久，既濟卦上六爻辭曰：「濡其首，厲」，虞翻認為上六陰爻位處卦體之極，又凌駕於九
五君位的陽爻之上，是以柔弱乘剛強，故《象傳》形容這樣的狀態「何可久也」[104]，
陰陽二氣之間必有一方會逐漸失衡，進而出現剛柔相交陰陽雜駁的現象，萬物於焉化
生。既濟卦由坎離組成，坎離為乾坤之用，[105] 而屯卦在卦序上是繼乾卦、坤卦之後出
現的第三個卦，象徵乾天坤地相交後的萬物初生之象，如《序卦》云：「有天地，然後
萬物生焉，盈天地之間者唯萬物，故受之以屯。屯者盈也，屯者物之始生也。」[106]。
屯卦▤的卦體內卦為震雷，外卦為坎水，震雷象徵的生機為坎水象徵的險難所覆，以此
形容萬事肇端之難，如《彖傳》曰「屯，剛柔始交而難生」，故《屯》卦初九陽爻的爻
辭為「盤桓，利居貞，利建侯」，意為君子動乎險中，在事情的開端應猶豫思量，不可
躁進。鍾泰前文以既濟卦的陰陽平衡之象，收攝復卦、姤卦的陰陽偏至之象，此處又以
屯卦下卦的震卦▤旁通巽卦▤，以收攝流水、止水的動靜不一之相。另外，鍾泰此處雖
未言及，但根據《說卦傳》：「震，動也；巽，入也」，震卦也可以「為決躁」[107]象徵太
快做出決斷而躁進，巽卦則「其究為躁卦」[108]，象徵遇事焦慮不決，進退失措，因此

---

103 王小滕：〈《莊子・齊物論》「絕待」哲理之詮釋——以「天倪、天均、兩行、天府、葆光」的考察
為主〉，《東華人文學報》第8期（2006年1月）頁27-54。

104 《周易集解》：「虞翻曰：乾為首，五從二上在坎中，故濡其首，厲。位極乘陽，故何可久。」參見
唐・李鼎祚輯：《周易集解》，卷12，頁306。

105 如朱震在《坎離天地之中圖》言：「坎離，天地之中也。聖人得天地之中，則能與天地日月四時鬼神
合。」參見宋・朱震：《卦圖》，《漢上易傳》，收入《文淵閣四庫全書》，經部第11冊，卷下，頁348。

106 魏・王弼注；晉・韓康伯注：《周易・序卦》，收入《四部叢刊正編》，經部第1冊，卷9，頁55。

107 〈說卦傳〉：「震為雷，為龍，為玄黃，為尃，為大塗，為長子，**為決躁**，為蒼筤竹，為萑葦。其於
馬也，為善鳴，為馵足，為作足，為的顙。其於稼也，為反生。其究為健，為蕃鮮。」魏・王弼
注；晉・韓康伯注：《周易・說卦傳》，收入《四部叢刊正編》經部第1冊，卷9，頁54。

108 〈說卦傳〉：「巽為木，為風，為長女，為繩直，為工，為白，為長，為高，為進退，為不果，為
臭。其於人也，為寡髮，為廣顙，為多白眼，為近利市三倍。其究為躁卦。」魏・王弼注；晉・韓
康伯注：《周易・說卦傳》，收入《四部叢刊正編》，經部第1冊，卷9，頁54-55。

震、巽兩卦又代表兩種心態不穩定的處事狀態，遇事太過躁進固然不妥，而猶豫思量太久又會造成原地踏步而喪失先機。巽卦之「躁」是過度的猶豫，而屯卦初九之「桓」是適度的猶豫，因此應以屯卦代表的穩定心態，收攝震、巽兩卦所代表的不穩定的心態。關於心態與卦象的關聯，雖為筆者在鍾泰學說基礎上的再詮釋，未必是鍾泰的原意，但由此亦可以看出鍾泰以《易》解《莊》的巧妙，為《莊子》開闢出更多釋義的空間，亦豐富了《莊子》原文的文義。

在最後也是最高的境界，壺子向季咸示以「未始出吾宗」，郭象注為「深根冥極」，成玄英疏解為「妙本玄源」[109]，皆以深玄的道體釋之，偏於靜態、恆一的常道。鍾泰則認為「宗」即大宗師之宗，這提醒我們回到《莊子》的本文尋繹可能的解讀線索。鍾泰在說明〈大宗師〉篇旨時指出，人所宗法效仿的對象是聖人，而聖人所宗法學習的對象則是「天」，這是相對於人而言，若相對於事而言則是「道」，綜而言之即是「天道」[110]。〈大宗師〉的結尾，子桑在貧病交加中鼓琴而歌，感嘆道：「天無私覆，地無私載，天地豈私貧我哉？求其為之者而不得也。然而至此極者，命也夫！」鍾泰將子所桑感嘆的「命」解讀為「天道之流行」[111]，對一般人來說，最能體會天道運行的時刻莫過於在面臨自己的生死大限時，全然喪失自我主宰的能力，只能將一切交付於自然。這乍看之下令人絕望，但鍾泰卻以為《莊子》已經向我們提示了應如何面對生死恐懼的轉化之道。蓋人之所以會貪生怕死，其起因源自我們始終認為生命是自己的，而忽略了此身其實是天地之委形，因此有一種「非己而執為己」的迷思；除此之外，若以生為虛幻而急於脫離，也是一種迷思。應體會《莊子》所言：「善吾生者，乃所以善吾死也」，透過信順天地的生物之德，將流於斷滅的「生命消亡」觀點，翻轉為階段性任務結束的「由終反始」，並在一期生死的有限時間裡，善盡自己對人事物的責任。以上所述，就是鍾泰認為《莊子》向我們提示的聖人盡性至命之學，和一般宗教言天堂地獄、六道輪迴的差異[112]。在這裡我們再度看到鍾泰用「窮理盡性至命」作為詮釋架構，將〈大宗師〉與〈應帝王〉兩篇的文義串聯在一起。準此，鍾泰說：

> 「示之以未始出吾宗」，「宗」即「大宗師」之宗。而曰「吾宗」者，人與天合，

---

109 清·郭慶藩編撰，《莊子集釋》，頁217。

110 《莊子發微》：「對人言則曰天，對事言則曰道。天道者，對人事之稱也。故或合而言之，或分而言之，其實一也。」參見鍾泰：《莊子發微》，頁128。

111 《莊子發微》：「本篇始言天，中言道，末言命。命者，天道之流行也。」參見鍾泰：《莊子發微》，頁128。

112 《莊子發微》：「善吾生者，生盡其道之謂也。生盡其道，則生不徒生矣。生不徒生，則死有不死矣。故曰：『君子曰終，小人曰死』（語見《小戴禮記·檀弓篇》）。終者，反其始之謂也。反其始，是為反真。聖人盡性至命之學，所以異於宗教家侈言死後天堂地獄以及輪迴往生之誕謾者，此也」。參見鍾泰：《莊子發微》，頁128-129。

> 則天即吾也。此於《易》惟太極可以當之。（頁177）

在鍾泰的解讀下，雖然「太沖莫勝」與「未始出吾宗」皆不脫陰陽互根的太極之理，但「太沖莫勝」主要指的是人事、物理兩方面的陰陽均衡狀態，而「未始出吾宗」又更進一層，指的是天與人渾然一體，不分彼此的狀態。筆者認為此處亦可以〈大宗師〉的「天與人不相勝」作解。「莫勝」與「不相勝」指的都是一種自然而然的平衡，前者用於形容人事與物理的陰陽調和，後者用於描述「盡性」境界論與「至命」本體論交會時的天道流行。

列子在見識壺子向季咸展示的境界之後，方始體悟到自己過去並未真正地學到壺子的學養，因此返家三年不出，最終達至「於事無與親」去其私情，「雕琢復樸」返其天真，「塊然獨以形立」雖應事而不覺有事的境界（頁179）。根據郭象注，列子之所以一開始會為季咸的觀相之術所相中，進而認為老師壺子不如季咸，乃是因為列子「未懷道則有心，有心而亢其一方，以必信於世，故可得而相之」（頁213），列子在尚未體悟道術之前就亟欲有一番作為，以求伸張自己的存在並證明自己的價值，既然列子是以「自己」為出發點，而非以「無己」作為出發點，那麼自然就無法從「以道觀之」的至公無私視角把握世事，其言行間偶爾流露出師心自用的私念，即容易為季咸所把捉。因此《莊子》指出，若欲「勝物而不傷」，須先達到「無為名尸，無為謀府，無為事任，無為知主」的境界，而這也是壺子所達到的境地。因為壺子之行事不以自我為出發點，故能不被季咸的相人術所把捉，同時在潛移默化中啟發列子體會至道。鍾泰對此解釋道：

> 然「無為事任」，非不任事也，以事任之天下，天下各盡其職，而王者要其成，所以無不為也。「無為知主」，非不用知也，以知止於不知，知效其用，而不知操其棟，所以為大知也，故曰「體盡無窮，而游無朕」。「體」者本體。壺子所云「未既其實」，體即實也。盡無窮而游無朕，斯其為知也，不亦大乎！斯其所為也，不亦多乎！（頁179）

不以一己之成心強執本體，而是以虛己之道心與本體相應，如此才能以游無窮，以盡其實。透過內聖之道的涵養，自然知道自己能力的極限在哪裡，如此就不會處處伸張自己的存在，而能恰當地看到什麼人該做什麼事，適合擔負什麼樣的職責。雖然表面上無功無名，但實際上其因任自然的無為態度正是讓事務得以順利運轉的潤滑劑。這就是發用於外的外王之道，也是無為之應的境界。以下試將本節所提到的《易》、《莊》會通架構用圖表示之，請見圖2。

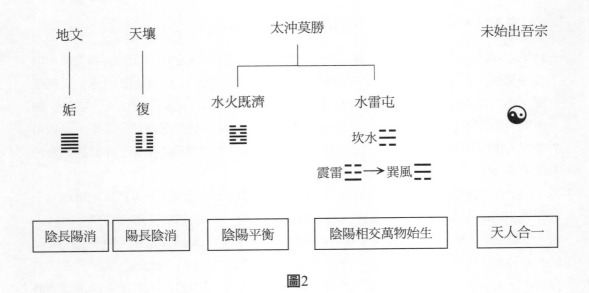

圖2

七　結論

本文在第一節先舉前人對太谷易學的研究為例，並指出既有研究的疏漏之處。周太谷的易學思想重「信」，《易緯‧乾鑿度》的易學思想則重「智」，兩者並不完全一致。直到周太谷的三傳弟子繆篆，更進而形成了以「信」作為仁義禮智之基礎的新五常之道。而在太谷學派中與繆篆為同輩的鍾泰，其著作《莊子發微》以《易》解《莊》的思路，不僅是太谷學派易學思想的佼佼者，更對近代學者以儒解《莊》的研究路線頗有啟發，因此本文希望一探《莊子發微》文本內部是否有一套詮釋架構，並附帶提及鍾泰的易學思想與太谷易學的可能聯繫。

在鍾泰視為《莊子》全書結尾的〈列御寇〉篇，鍾泰以《周易‧說卦傳》的「窮理盡性，以至於命」作為《莊子》全書的主旨。而在〈天地〉篇，鍾泰又將「德至同於初」之「至」，與〈說卦傳〉「窮理盡性至命」之「至」相提並論，雖未明確地將「至」界定為某種工夫論，但已揭明「至」是一種對生命本源的上達或返回，確立「至」的過程具有層次性。

「至」的層次性體現在何處呢？鍾泰在解釋〈寓言〉時，先將「窮理盡性以至於命」分拆為「窮理」、「盡性」與「至命」三個部分，再將〈寓言〉描述體道境界的九種狀態與「窮理」、「盡性」、「至命」作搭配。先以「窮理」配屬「野」、「從」、「通」；再以「盡性」配屬「物」、「來」、「鬼入」；最後以「至命」配屬「天成」、「不知死、不知生」與「大妙」。

但我們應該如何理解上述「窮理盡性至命」與《莊子》文義互相關聯而產生的層次性？筆者根據鍾泰在〈大宗師〉篇提到的「即本體以為工夫」、「由工夫合其本體」為線

索，推測在鍾泰以《易》解《莊》的思路中應該蘊含著工夫論及本體論。而從工夫以至本體的過程，既有層級之分，就有境界之不同，那麼相應地也會有一套關於如何理解不同體道層次的境界論。

鍾泰雖然並未在《莊子發微》標明「境界論」一詞，但在詮釋內七篇開頭的〈消搖游〉與內七篇結尾的〈應帝王〉時，卻有某種義理上的對應。筆者認為，根據鍾泰對〈消搖游〉、〈應帝王〉的詮釋，我們可以發現鍾泰以《易》解《莊》思路中可能蘊含的境界論。蓋〈消搖游〉至人無己以游無窮的內聖之道，就是體道者自內證的境界，他人難測深淺，其層次可分為「無名」、「無功」、「無己」；而〈應帝王〉聖人無為以應無窮的外王之道，就是體道者發顯於外的境界，可以為他人所見，其層次分為「地文」、「天壤」、「太沖莫勝」及「未始出吾宗」。以游無窮是盡己之性，以應無窮是盡人之性，兩者相合即是「盡性」境界論。

那麼《莊子發微》的工夫論及本體論的義涵為何呢？根據鍾泰對〈寓言〉的詮釋，若欲學道，須先將自我心靈放逐於無何有之鄉、廣漠無窮之「野」，以消泯充斥於有蓬之心的成見；在放空成見之後，方能以如鏡之心照見人事物的種種差異，並捨己「從」人，隨順不同的差異；繼而在事物看似相異的表面下，發現「通」貫不同差異的一貫之理。此即《莊子發微》的「窮理」工夫論。

至於《莊子發微》的本體論，則可以在鍾泰對〈大宗師〉的詮釋窺見端倪。鍾泰將子輿感嘆的「命也夫」之「命」，解為「命者，天道之流行也」。另外，鍾泰又將〈應帝王〉「未始出吾宗」的最高境界解為易學概念的「太極」，這其實即出自〈繫辭傳〉的「易有太極」。蓋境界臻於最高處即是本體，故在鍾泰的文脈下，「命」、「天道之流行」、「太極」等概念是平列於同一層面，且都指向本體。因此「命者，天道之流行」也可以視為對「太極」的形容。鍾泰的思想明顯源於朱熹《太極圖說解》的「太極之有動靜，是天命流行也」。而朱熹、陳淳、徐幾等宋儒在解釋「窮理盡性至命」時，是先將理、性分開作解，再將理、性合釋以上達至命，並將「至命」之「命」解為「天道」、「公共底道理」或是「天命」。鍾泰所繼承的基本是宋儒的思路，故在其詮釋下的「至命」本體論，即是至於天命。

物之理與人之性相合後所達至的天命，透過心齋的忘己工夫參贊天命，會對體道者形成某種行事的價值指引。故《莊子‧人間世》說：「天下有大戒二，其一、命也；其二、義也」。《莊子》命義對揚的理論型態，是鍾泰「至命」本體論的藍本，提供了一種以此世為究竟的生活態度。命自天出，義存乎人，體道者將其與大道的關係、與眾人的關係，在道德上視為等值，而敬天事人，就是「即本體以為工夫，由工夫合其本體」。在鍾泰的詮釋下，《莊子》看似虛化的道體，其實就是生命的整體，這種帶有儒家整體論色彩的至命本體論，必須以聖人作易時的德性宇宙觀來開顯。這也是為什麼鍾泰要使用《周易》的卦象卦義探勘《莊子》的深層意涵，並將《莊子》的文義化歸《周易》義

理的理由。因此鍾泰說：「聖功、天德非兩事也」（頁128）。《莊子發微》雖未引述太谷學派的易學思想，但從鍾泰對以人合天的強調，我們不難在他所說的「聖功」裡，看到周太谷及其門人自稱「聖功弟子」[113]的影子。

　　《莊子發微》以《易》解《莊》的部分並非循序漸進地開展，而是四散在不同的篇章段落之中，故筆者順著鍾泰的思路，以〈說卦傳〉的「窮理盡性至命」作為主軸將這些零散文字貫串起來，重新組建成《莊子發微》的詮釋架構。雖然本文限於篇幅，無法對《莊子發微》以《易》解《莊》的文字一一解釋，但通過詮釋架構的重建，可以幫助讀者對《莊子發微》有一提綱挈領的認識，不至於迷失在鍾泰旁徵博引的學術名相裡，而遺落了鍾泰著書的宗旨。同時本文也可以為前人對鍾泰與太谷學派之間關係的研究[114]，補充一個學理脈絡上互相關聯的可能例證。最後將《莊子發微》「以《易》勘《莊》，以《莊》合《易》」之詮釋架構整理如圖3。

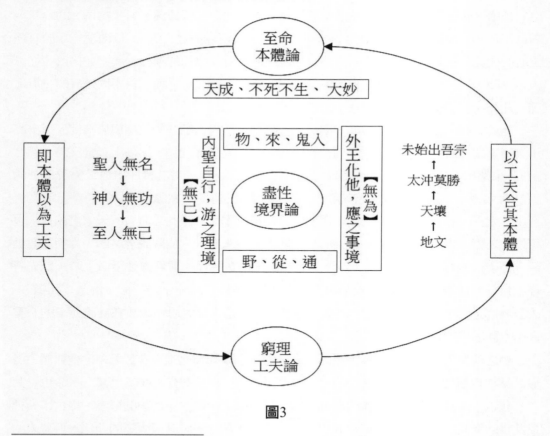

圖3

113 周新國指出：「太谷學派講究修養，希言希賢，以聖功弟子相期，這裡的聖功，就是一種修養上的境界。」參見周新國：《太谷學派史稿》（北京：社會科學文獻出版社，2014年），頁47。

114 鍾泰《莊子發微》與太谷學派之間的關係並非本文重點，只是附帶提及，前人對此已多有論述。本文的重點還是放在探討《莊子發微》以《易》解《莊》的詮釋架構。若欲了解更多《莊子發微》與太谷學派的關聯，可以參考郭曉麗的著作。參見郭曉麗：《鍾泰學術思想研究》，頁193-198。

徵引文獻

一　原典文獻

漢・班　固：《漢書藝文志》，臺北：華聯出版社，1973年。

漢・董仲舒：《春秋繁露》，臺北：中華書局，1966年，據抱經堂本校刊。

漢・趙　岐注：《孟子》，收入《四部叢刊三編・經部》第2冊，臺北：臺灣商務印書館，1966年，上海涵芬樓借清內府藏宋刊本景印。

漢・鄭　玄注；唐・孔穎達疏；龔抗雲整理：《禮記正義・曲禮》，臺北：臺灣古籍出版有限公司。

漢・鄭　玄著；宋・王應麟編：《周易鄭康成注》，上海：商務印書館，1936年，上海涵芬樓景印元刊本。

漢・鄭康成注：《易緯》，收入《景印摛藻堂四庫全書薈要》經部第14冊，臺北：世界書局，1986年。

吳・韋　昭注：《國語》，收入《景印文淵閣四庫全書》第406冊，臺北：臺灣商務印書館，1983年，據國立故宮博物院藏本影印。

魏・王　弼，晉・韓康伯：《周易王韓注》，臺北：大安出版社，1999年。

魏・王　弼注，晉・韓康伯注：《周易》，收入《四部叢刊正編》經部第1冊，臺北：臺灣商務印書館，1979年，據上海涵芬樓景印宋刊本原書版影印。

晉・何　晏集解：《論語》，收入《四部叢刊三編・經部》第2冊，臺北：臺灣商務印書館，1966年，上海涵芬樓借長沙葉氏觀古堂藏日本正平刊本影印。

晉・范　甯集解：《春秋穀梁傳》，收入《四部叢刊三編・經部》第2冊，臺北：臺灣商務印書館，1966年，上海涵芬樓借常熟瞿氏鐵琴銅劍樓宋刊本景印。

唐・孔穎達編撰：《周易正義（下經）》，臺北：臺灣古籍出版公司，2001年。

唐・李通玄：《華嚴經合論》，CBETA 中華電子佛典，（CBETA 2022.Q1, X04, no. 223, pp. 31b19-32b15）。

唐・李鼎祚輯：《周易集解》，臺北：臺灣商務印書館，1983年。

宋・朱　震：《漢上易傳》，收入《文淵閣四庫全書》經部第 11 冊，臺北：臺灣商務印書館，1983年。

宋・朱　熹，宋・黎靖德編：《朱子語類》，收入《景印文淵閣四庫全書》第701冊，臺北：臺灣商務印書館，1983年，據國立故宮博物院藏本影印。

宋・朱　熹：《周易本義》，臺北：臺大出版中心，2016年。

宋・朱　熹：《太極圖說解》，《朱子全書》第13冊，上海：上海古籍出版社，2002年。

宋・宋　祁、歐陽修撰：《新唐書》，臺北：藝文印書館，1956年。

宋・程　頤：《伊川易傳》，收於《叢書集成三編》第9冊，臺北：新文豐出版公司，1997年。

宋・蘇　軾：《東坡易傳》，收入《景印文淵閣四庫全書》第9冊，臺北：臺灣商務印書館，1983年。

明・來知德：《周易集註》，新北市：養正堂文化，2017年，師恩本。

明・黃宗羲：《易學象數論》，新北市：廣文書局有限公司，2019年，三版。

清・李光地撰集：《御纂周易折中》，臺中市：瑞成書局，1998年。

清・郭慶藩編：《莊子集釋》，臺北：商周出版社，2018年。

清・惠周惕：〈答薛孝穆書〉，《硯谿先生集》，收入《清代詩文集彙編》第209冊，上海：上海古籍出版社，2010年，清康熙惠氏紅豆齋刻本原書版。

清・劉熙載；葉子卿點校：《藝概》，杭州：浙江人民美術出版社，2017年。

二　近人論著

王小滕：〈《莊子・齊物論》「絕待」哲理之詮釋——以「天倪、天均、兩行、天府、葆光」的考察為主〉，《東華人文學報》第8期，2006年1月，頁27-54。

王小滕：〈莊子「安命」思想探析〉，《東華漢學》第6期。2007年12月，頁15-50。

王志平：〈《周易・中孚》卦解〉，《中國典籍與文化論叢》第20期，2018年12月，頁1-25。

牟宗三：《中國哲學十九講》，臺北：臺灣學生書局，1995年。

牟曉麗：《鍾泰《莊子》發微研究》，吉林：東北師範大學碩士學位論文，2014年。

何乏筆：〈氣化主體與民主政治：關於《莊子》跨文化潛力的思想實驗〉，《中國文哲研究通訊》第22卷第4期，2012年12月，頁41-73。

何善蒙、盧涵：〈鍾泰「《莊子》取象於易」說淺探——以《逍遙遊》篇疏解為中心〉，《周易研究》第2期，2019年，頁50-56。

吳　怡：《逍遙的莊子》，臺北：東大圖書公司，1896。

李德材：〈《莊子・天運篇》「黃帝咸池論樂」哲學義蘊新探——以鍾泰《莊子發微》為核心的詮釋〉，《應用倫理評論》第65期，2018年10月，頁207-232。

杜保瑞：〈程頤工夫境界型態的儒學建構〉，《揭諦》第8期，2005年4月，頁1-56。

周新國：《太谷學派史稿》，北京：社會科學文獻出版社，2014年。

周　鵬：〈略論鍾泰莊子學思想的儒學化轉向〉，《孔子研究》第3期，2017年，頁127-139。

林修德：〈《莊子》工夫論之研究方法省思〉，《東華中國文學研究》第9期，2011年6月，頁1-19。

姚彬彬：〈從「以經解經」到「以《易》解經」——清代以來儒學經典詮釋中的一條哲學性進路〉，《福建師範大學學報（哲學社會科學版）》第6期，2020年，頁140-150。

郭曉麗：《鍾泰學術思想研究》，北京：人民出版社，2014年。

陳祺助：〈「人禽之辨」之本體宇宙論的說明——關於牟宗三先生詮釋明道此一理論的一些討論〉，《當代儒學研究》第8期，2010年，頁143-173。

黃嘉琳：《虞翻易學的氣論思想研究》，臺北：中國文化大學中國文學系博士論文，2014年。

黃寶川編撰：《太谷學派遺書》第1輯第1冊，揚州：江蘇廣陵古籍刻印社，1997年。

楊恆宇：《鍾泰《莊子發微》研究》，河南：河南大學中國古代文學碩士論文，2013年。

楊儒賓：〈也是莊門內的儒學〉，《人文與社會科學簡訊》第19卷4期，2018年9月，頁171-175。

楊櫟群：《從《莊子發微》探析鍾泰的儒家思想》，內蒙古：內蒙古大學哲學學院碩士論文，2017年。

蔡文錦：〈論鍾泰先生的《莊子發微》〉，《揚州大學學報（人文社會科學版）》第2期，2004年，頁40-44。

賴錫三：〈牟宗三對道家形上學詮釋的反省與轉向：通向「存有論」與「美學」的整合道路〉，《臺大中文學報》第25期，2006年，頁283-332。

繆篆：《明悳》（上篇），《新民》第1卷第3期，1935年，頁24-75。

鍾泰：《莊子發微》，上海：上海古籍社，2002年。

馬來（"Melayu"）文明的道家內涵[*]

鄭文泉

（馬來西亞）拉曼大學中文系副教授

摘要

　　本文旨在對《馬來君王儀禮》（*Adat Raja-Raja Melayu*）與《道德經》（*Dao De Jing*）二書進行一比較哲學的分析，從而確認馬來文明與道家內涵的聯繫。此一比較建立在《馬來君王儀禮》的「末羅遊」（「Melayu」）與《道德經》的「德」均教人以「守柔」、「守弱」的共同人生原理基礎上。然而，初步對比的結果發現：一來《馬來君王儀禮》的「守柔」、「守弱」是針對臣民而言，而《道德經》則是對聖人、王侯的要求，二來《馬來君王儀禮》的「守柔」、「守弱」原因還不明白，而《道德經》則出自於對「道」的遵循的結果。這兩大分別，使到二者的「守柔」、「守弱」之說尚未可完全相通、相當以論之。換句話說，「末羅游」文明確有道家「守柔」、「守弱」的表層內涵，但目前《馬來君王儀禮》一書還見不出有相當道家「道」、「德」哲學的內容與證成，故有待其他馬來古文獻的深層說詞和解析，使能衡斷。

關鍵詞：《馬來君王儀禮》、《道德經》、末羅遊、道家、比較哲學

---

[*]　本文經二位匿名外審後修訂而成，特此致謝，文責仍由筆者自負。

The Taoist Connotation of Malay ("Melayu") Civilization

Chuan, Tee-Boon

Associate Professor, Department of Chinese Studies, Universiti Tunku Abdul Rahman

Abstract

This article aims to compare the two books of *Adat Raja-Raja Melayu* and *Dao De Jing* philosophically in term of exploring the similarity between Malay civilization and Taoism. The comparison is based firstly on the common ground of "Melayu" in Adat Raja-Raja Melayuand "De" in Dao De Jing that teach people to "keep soft" and "keep weak". However, the results of the comparison found that: firstly, the "maintaining softness" and "maintaining weakness" in Adat Raja-Raja Melayuare aimed at subjects, while Dao De Jing is the requirement for saints and kings; secondly, the ontological reasons for "keeping soft" and "keeping weak" in Adat Raja-Raja Melayuare still unclear, while Dao De Jing comes from the result of following the "Tao". Due to the two major differences make the theories of "Melayu" in Adat Raja-Raja Melayuand "De" in Dao De Jing not fully compatible and comparable at this moment of preliminary study.

Keywords: *Adat Raja-Raja Melayu*, *Dao De Jing*, Malayu, Taoism, comparative philosophy

一 前言：《馬來君王儀禮》一書的「末羅遊」哲學解說

在今天的東南亞，馬來人、馬來民族、馬來文明可以有兩種理解。按照上世紀有「馬來大學者」（Pendeta，與藏傳佛教「班智達」一譯同梵文原詞）之稱的查巴（Za'ba，全名 Zainal Abidin bin Ahmad 的縮略詞，1895-1973）說法，可見東南亞社會內部的馬來人是指母語為馬來語的族群，這點包括了現代的馬來半島、蘇門答臘的廖內、巴林邦、米南加保等地區的人民；至於普通話為馬來語的其他族裔如亞齊、巴答、爪哇等，並不是族裔意義的馬來人。[1]後一種意義的馬來人，相當於今日馬來西亞所說的「馬來民族」或印尼的「印尼民族」之意。

舉例來說，查巴的父親屬於蘇拉威西的武吉斯人，母親則來自蘇門答臘的米南加保，以父系這一方來看他並不屬於馬來人。但是米南加保是母系社會，孩子的族裔身份是跟著母親這一方來認定的，所以他是馬來人，在馬來西亞也從屬於母語為馬來語的馬來群體。從查巴本人的著作和學問來看，也已和父系的武吉斯傳統沒多少淵源，十足是一個「成為馬來人」（masuk Melayu，華人社會口中的「入番」）之後的成員子弟。

本文的馬來人、馬來民族及馬來文明是前一種意義的族裔範圍，就是七世紀以來聞知於中國世界的「末羅遊」一說的人文地理世界。[2]眾所周知，今天馬來西亞憲法對「末羅遊」族群身份有明文界定，指的是：「末羅遊人」（「Orang Melayu」）是指信奉的是伊斯蘭教、日常說的是馬來語、生活過的是馬來習俗的人，而且——

（一）在聯邦或新加坡獨立日前出生，或獨立日前出生且父或母任一方在聯邦或新加坡出生者，或在獨立日時已定居聯邦或新加坡者，或

（二）以上人士的後裔；[3]

在現實上，符合這個操作標準（operational definition）的族群除了上提母語為馬來語的馬來人之外，還包括了亞齊人、勞瓦人（Rawa）、爪哇人、占婆人（源自越南馬來語少數民數）、武吉斯人等，相當於是以馬來語為普通話的族群人士，由此和印尼的「印尼民族」具同樣用法和範圍（只是民族成員略少）。儘管「習俗」是一個族群哲學的外化與投射，但上述憲法定義的缺點就是沒解釋什麼叫「馬來習俗」，故此一界說或無法滿

---

[1] 這個定義的其它不足與缺點，見 Anthony Milner, *The Malays* (West Sussex: Wiley-Blackwell, 2008), pp.2-4。

[2] 「末羅遊」是西元七世紀義淨在《南海寄歸內法傳》一書的中譯，按 J. Takakusu 的英譯本即 *A Record of the Buddhist Religion as Practised in India and the Malay Archipelago* (AD 671-695) 一書是對譯「Malayu 王國」一詞，即今日「Melayu」族裔的前身，故本文沿用於此。

[3] 見 Perkara 160 (2), *Perlembagaan Persekutuan* (pindaan hingga Ogos 2021)。

足本文的哲學探討需要,而不得不另尋他途。[4]

從歷史的角度來看,《馬來西亞聯邦憲法》的上述「習俗」之說可能是有根據的,即預設了荷屬麻六甲時期的蘇萊曼甲必丹(Datuk Kapitan Sulaiman)在1779年所寫《馬來君王儀禮》(Adat Raja-Raja Melayu)一書的界說。按《馬來君王儀禮》此書旨在闡述馬來宮廷的懷孕禮、誕生禮、剃髮禮、浴沐禮、成婚禮一直到君王的駕崩禮,一如書名所示,其中也解說了「末羅遊」的含義如下:

> 關於「末羅遊」(Melayu)的意思,就是指柔弱虛己(melayukan diri)。就如古人把「末羅游」比喻成一根木的枯萎是出於自己,而不是環境所迫(如遇熱或火)。表示一個人在任何時刻都是虛己應物,即不論是在儀禮或言語上,也不論是在宴飲或行坐之時,更不論是在朝會或其它的什麼場所,他始終都是虛懷若谷而非妄自尊大。[5]

由此之故,他在任何事項上都能舉止優雅、從容以赴,而不是慌張不定、舉止粗俗;都能虛懷若谷如有不足,而非妄自尊大若已完美。這就是我從廖內的阿都阿茲先生那兒聽來的「末羅遊」意思,也是古人世代口耳相傳下來的「末羅遊」意思。[6]

按上述解說,「末羅遊」是指一種自覺的柔弱虛已(而不是狂妄自大)的行為態度。關於柔弱虛己的功用,《馬來君王儀禮》將之形容為足以令人舉止優雅、從容以赴,而非慌張不定、舉止粗俗;與此同時,它也被解說成是一種如有所不足的虛懷若谷之態度,而不是自以為完滿的妄自尊大。這種從詞到詞義的解說,很能滿足哲學探討的需要,從而衍申出本文的「末羅遊」與道家內涵的對談,進而有馬來文明的道家內涵之確認一析。

值得注意的是,這種解說並非《馬來君王儀禮》的一家之言。相反,《馬來君王儀禮》不但指出它是「世代口耳相傳」而且是從廖內(今印尼)得知的解說,同樣屬於母語為馬來語的傳統地區,足示它是馬來世界的共同認知與傳統意見。

二　分析一:從道家哲學看「末羅遊」概念的哲學性

承上所述,《馬來君王儀禮》的「末羅遊」解說或觀念有什麼獨到之處?如果《馬來西亞聯邦憲法》的界定可以被看成是一種政治定義,那麼《馬來君王儀禮》對「末羅

4　這個定義的其它不足與缺點,見Anthony Milner, *The Malays* (West Sussex: Wiley-Blackwell, 2008), pp.2-4。

5　見Panuti H. M. Sudjiman, *Adat Raja-Raja Melayu* (Jakarta:Penerbit Universitas Indonesia, 1996), pp.142-143。在十份《馬來君王儀禮》抄本之中,只有MSB, MSC, MSD, MSE 及MSJ五個抄本有「末羅遊」的這段釋義文字。

6　Panuti H. M. Sudjiman, *Adat Raja-Raja Melayu*, pp.142-143.

遊」的界定（「柔弱虛已」）是哲學的定義嗎？如果「末羅遊」是一種哲學概念，那麼我們又該如何解說它的哲學內涵或特點？

一種辦法是採用某一套已被公認為哲學的思想體系為參照來解說。從中國哲學的例子來說，此一參照不外是中國儒、道、佛三大思想體系之中的某一個。按我們對儒、道、佛三家哲學的瞭解，世人已可以看出道家哲學（而非儒、佛）是最為合適的參照體系，從而有助解說出「末羅遊」概念的哲學特性。[7]

在本文進行解說之前，且讓我們重析《馬來君王儀禮》一書的「末羅遊」界定特點。按照《馬來君王儀禮》的理解，「末羅遊」是指一種態度上是自覺的、行為上是柔弱虛己的舉止。這種態度和舉止，在道家哲學根本經典《道德經》（也稱《老子》）之中實際上多有闡述。

如果《馬來君王儀禮》是從「儀禮或言語上，宴飲或行坐之時，朝會或其它場所」的儀禮角度來解說「柔弱虛己」的意思，那麼《道德經》的「柔弱虛己」是從統治者（其理想典型為「聖人」）的治國之道來說的，如下第六十六章（以下引文標號，前碼為章別，後碼為句號）：

> 66.1　江海所以能為百谷王者，以其善下之，故能為百谷王。
> 66.2　是以聖人欲上民，必以言下之；欲先民，必以身後之。
> 66.3　是以聖人處上而民不重，處前而民不害，
> 66.4　是以天下樂推而不厭。
> 66.5　以其不爭，故天下莫能與之爭。

按照這一章，一位聖人（理想的統治者）被描繪成是在言語上或治理上都柔弱虛己的，乃出於以下兩點的自覺：

（一）柔弱虛己或這一章的「不與人爭」才是最好、顛撲不破的治國之道，因為「天下沒有人能夠與他爭」。

（二）柔弱虛己本身也是對自然之道的因循，如「江海所以能成為百川歸往之處，是因為它善於處在低下的位置，這樣才能讓百川歸往」所言。

《道德經》還反復從其它角度來解說聖人的柔弱虛己：

> 2.3　是以聖人處無為之事，行不言之教。
> 2.4　萬物作焉而不辭，生而不有，為而不恃，功成而弗居。

7　審查意見二提出「謙下」、「收斂」態度之重視，非獨道家一家，儒之《尚書》、《易傳》、釋之《大乘理趣六波羅蜜多經》等亦然，此誠有理。只是「謙下」、「收斂」對於道家一派，已是學派特點，捨此無以為道家，而儒、釋則仍為儒、釋。且道家據此之自稱「孤家」、「寡人」、「僕下」一義，也為儒、釋二家所不及。所以，本文以道家為「末羅遊」之參照體系，並非獨斷之見。

按本章，柔弱虛己被解說成是聖人的「無為」、「生而不有，為而不恃，功成而弗居」的行為性質。

> 10.7　生之，畜之。
>
> 10.8　生而不有，為而不恃，長而不宰，是謂玄德。
>
> 22.3　不自見，故明；不自是，故彰；不自伐，故有功；不自矜，故能長。
>
> 22.4　夫惟不爭，故天下莫能與之爭。
>
> 24.1　……自見者不明；自是者不彰；自伐者無功；自矜者不長。

根據以上數章，一個聖人的柔弱虛己，可以總括為「不有、不恃、不宰」或「不自見、不自是、不自伐、不自矜」的行為，從而構成「天下莫能與之爭」的治國之道。

《道德經》還有很多提醒聖人在治國之中須柔弱虛己的篇章，如第廿九、三十、卅二、卅四等章，其實都屬於道家哲學「德」論的不同表示和反映，即道家有關存在屬性或性質的說法。按道家的「德」論，任何存在均須虛己、不自大、無為或其它種種的相關說法，都可以被總結為是一種「柔弱」的本質屬性的反映，如以下第卅六、四十、四十三及七十八章所歸納的：

> 36.3　柔弱勝剛強。
>
> 40.1　反者道之動，弱者道之用。
>
> 43.1　天下之至柔，馳騁天下之至堅。
>
> 78.1　天下莫柔弱于水，而攻堅強者莫之能勝，以其無以易之。
>
> 78.2　弱之勝強，柔之勝剛：天下莫不知，莫能行。

在這裡，存在的「柔弱」屬性或「德」被進一步說成是「道之用」，也就是「道」的表現和反映。按第四十章第一節「反者道之動」的說法，「道」或存在本體是以「反」為活動形式的——「反」有兩種意思，一是指迴圈，也就是現代的「返回」之「返」字（按道家，生不但會死，而且死也會復生），另一指相反，即適得其反之意（欲長生者反成速死之事）。從以上篇章來看，「柔弱」更多是被當成第二種「反」的意義來理解的，也就是「不自見、不自是、不自伐、不自矜」（這些都是「柔弱」）反而能「明、彰、有功、能長」，也就是柔弱反而能收剛強之效。

簡要地說，按照《道德經》的意思，第二種意義的「反」不但是存在的本體（「道」），而且也構成了任何存在物的屬性（「德」），以下進一步所釋。

（一）「反」作為存在物的屬性或「德」

當這個存在物是指自然生成的存在物時，那麼「反」就是指凡過頭、過度發展的都

會走向它的反面：

23.1　希言，自然。

23.2　故飄風不終朝，驟雨不終日。

23.3　孰為此者？天地。

39.2　其致之也，謂：天無以清，將恐裂；地無以寧，將恐廢；神無以靈，將恐歇；穀無以盈，將恐竭；萬物無以生，將恐滅；侯王無以貴高，將恐蹶。

39.3　故貴以賤為本，高以下為基。

基於上述自然物的「反」或「逆反」事實，《道德經》提出唯有「賤」、「下」也就是柔弱之道才能免於上述不可欲、望的結局。至於存在物是指人為的存在物時，它的「反」則指：

2.1　天下皆知美之為美，斯惡已；皆知善之為善，斯不善已。

11.1　三十輻共一轂，當其無，有車之用。

11.2　埏埴以為器，當其無，有器之用。

11.3　鑿戶牖以為室，當其無，有室之用。

11.4　故有之以為利，無之以為用。

18.1　大道廢，有仁義。智慧出，有大偽。六親不和，有孝慈。國家昏亂，有忠臣。

人為的存在物也被說成是與自然的存在物一樣，凡過度、自大、自滿的終將走向它的缺失、賤下、空乏的反面，從而證明人之所以須柔弱行事的原因。

（二）「反」作為存在的本體或「道」

34.1　大道氾兮，其可左右。

34.2　萬物恃之以生而不辭；功成而不有；衣養萬物而不為主。

34.3　常無欲，可名於小；萬物歸焉而不為主，可名為大。

34.4　以其終不自為大，故能成其大。

51.1　道生之……

51.5　生而不有，為而不恃，長而不宰，是謂玄德。

綜觀《道德經》一書所有章節，它經常將「道」比喻成「水」，既取其卑下、柔弱反成世界最富裕、強固的存在之意象，也取其滋養萬物卻不居其功的形象，足見一斑。

　　由於存在和存在物的這種「反」或「逆反」原理，《道德經》一再教導統御所有存在物的聖人（統治者）必須以柔弱之道治世，即終其領導一生必須時時虛己、賤己、柔

已、下己等等：

22.2　是以聖人抱一為天下式。

28.1　知其雄，守其雌，為天下溪。

28.2　為天下溪，常德不離，複歸於嬰兒。

28.3　知其白，守其辱，為天下穀。

28.4　為天下谷，常德乃足，複歸於樸。

28.5　樸散則為器，聖人用之，則為官長。

28.6　故大制不割。

37.1　道常無為而無不為。

37.2　侯王若能守之，萬物將自化。

以上就是教人時時效法「道」的柔弱本體以表現一己之虛己、下己、賤己的「德」的存在屬性的道家哲學之大概。

　　據此而言，《馬來君王儀禮》一書的「末羅遊」概念的哲學性，確實能從道家哲學的向度得到解說的。「末羅游」作為（儀禮）行為上的柔弱虛己之意，與道家哲學的「德」也就是存在物的虛己、下己、賤己一說是相通的。儘管道家的「德」源於對柔弱之「道」的效法，而「末羅遊」的柔弱虛己的自覺之因一時還不能明白，但這並不妨礙彼此在柔弱虛己一義上的相通性，應是可以肯定的。

三　分析二：「末羅遊」是道家哲學，還是只有概念才是道家的？

　　承上所述，《馬來君王儀禮》一書解說「末羅遊」為自覺的柔弱虛己之舉止，但這個自覺指的是什麼，還有待本文進一步考證。換句話說，這個考證即構成本文全篇的核心論題，因為它旨在確認出「末羅遊」和道家哲學究竟在多大程度上可有相通性可言。

　　為了簡化這個考證陳述，且讓本文直述有待考證的兩項內容為：

（一）《道德經》的柔弱虛己之義，是對聖人即統治者來說的，唯此才能說是「反」（柔弱虛己的是上位者）。

（二）統治者的柔弱虛己本身是對「道」即存在本體的效法。

換句話說，這個考證目的就是要查明《馬來君王儀禮》是否一如《道德經》那樣，以為「末羅遊」也是對統治者提出效法存在本體的一種柔弱虛己的自覺行為，從而與道家哲學在整個思想體系上是相通的？

　　針對第一點的相通性，恐怕一開始就被《馬來君王儀禮》和《道德經》兩本著作本

身的差異性質而否定了。顧名思義，《馬來君王儀禮》只是一部馬來君王儀禮的著作，而不是像《道德經》那樣是一部有關君王如何治國的典籍。綜觀《馬來君王儀禮》一書，它在闡述君王的懷孕禮、誕生禮、剃髮禮、浴沐禮、成婚禮、登基禮、許願禮以至最後的駕崩禮，只有在以下若干地方才提到柔弱虛己：一旦在朝會被君王當面問到「我說的話有錯嗎？」，那麼既使有錯，在當時也務須回覲說：「君王所說，句句屬實」。只有在臣屬散去時，才重新覲見君王，把你真正的想法或意見表達出來。同樣，就算是在不容遲緩的應答時刻，也務必以正言若反的方式把意見表達出來供君王參考。這就是儀禮。君王的話是在任何時刻也不能抗駁的。[8]

這是君王的朝覲語，其說詞是：「阿拉在大地的代理——吾皇萬歲，祈吾皇寬宏大量，赦免臣僕。臣僕是賤僕中的賤僕，以至敬之心叩拜於吾皇至尊足下，祈求寬宏大量的吾皇，能赦免臣僕。」[9]按照這幾處的文字，《馬來君王儀禮》是從臣民如何在言詞上（以「賤僕中的賤僕」自居）或舉止上（「君王的話是在任何時刻也不能抗駁的」）表現柔弱虛己之道來說，這明顯和上提道家「反者道之動」的說法不符。

臣民的柔弱虛己是處於下層地位人士所應有（也不得不有）的行為，並不是《道德經》在「反者道之動」意義下所說的柔弱虛己。按照《道德經》的本意，只有處於上層地位或統治階層的人表現出自己好像是下層人士而不得不柔弱虛己之時，那才是它所說的柔弱虛己之意。

《馬來君王儀禮》和《道德經》在這方面的不相通性，還可從前者對「娑婆者」（「sahaya」，即今日馬來語第一人稱「saya」或「我」）一詞來指臣民、而後者卻是統治者的自稱看得出來。眾所周知，「娑婆者」是古馬來語的梵語借詞，它的字面意思和哲學意思可分別解釋如下：[10]

（一）「娑婆者」或「sahaya」在梵語構詞學上屬於與格名詞（dative noun），表示「面向」、「屬於」（「-ya」）「娑婆（大地）」之意，也就是指「娑婆（大地）者」；

（二）「娑婆（大地）」在印度教神話和宇宙論之中是指君王腳下的世界，是充滿輪迴、苦痛的煩惱之地，和脫離了輪迴煩惱的腳上世界不同；

（三）這種腳上、腳下的差別涵意是：居住在腳下世界的是臣民，腳上世界的則是

8　見Panuti H. M. Sudjiman, *Adat Raja-Raja Melayu*, p.145。

9　同上注，pp.146-147。

10　和「末羅遊」一詞的名詞（「Melayu」）兼動詞（「Me-layu」）而表達出柔弱虛己之意的複雜構詞關係相同，馬來語的第一人稱「sahaya」或「我」是指「娑婆世界」（saha-）的我的這種構詞關係，也同樣很難在譯語（「目的語」）之中被翻譯、解說得明白。本文此處「娑婆者」譯法，乃勉為其難采音意合璧之方法處理之（「娑婆」是古代漢譯佛典對「saha-」的音譯）。

君王，一如《馬來君王儀禮》在解說「腳下」（「duli」）[11]一詞時所說：禮敬君王時須代稱以「至尊足下」之名……「足下」實際上不是指君王的足下，而是指君王足下的臣僕我們自己。[12]

（四）君王必須被禮敬為「腳下」，已足以表明臣民是在君王腳下朝觀之意，由此可證君、臣是分屬腳上、腳下的不同世界和地位的人；

由於這樣的原因，「娑婆者」一詞在後世就被用來表示臣民自稱，而君王的自稱則是「beta」（同樣也是梵語借詞）。這和《道德經》以下篇章所陳述的中國君王之自稱情況（特將白話譯文附前，原文隨後）是有相當的不同的：

39.3　所以，尊貴要以卑賤為根本，高處要以低處為基礎。

（39.3　故貴以賤為本，高以下為基。）

39.4　因此，侯王自稱為「孤家」、「寡人」、「僕下」。

（39.4　是以侯王自謂孤、寡、不穀。）

42.3　人們所厭惡的，就是淪為「孤家」、「寡人」、「僕下」，但是王公卻以此來稱呼自己。

（42.3　人之所惡，唯孤、寡、不谷，而王公以為稱。）

與「娑婆者」、「腳下」的概念相較，中國君王並不認為自己是受腳下的臣民觀拜的腳上世界之人物。與此相反，他反而自認「孤家」、「寡人」、「僕下」，說得好像自己比一般老百姓的處境還要不幸和悲慘。然而，正是君王的這種自稱，被《道德經》用來證明它的「反者道之動」的原理和「德」論的學說，是有根據的。

這個層面的不相通性，也許就是進一步導致《馬來君王儀禮》和《道德經》在「道」也就是柔弱虛本身是對存在本體的效法層面的不相通性原因。確實，《馬來君王儀禮》純粹是一部「馬來君王儀禮」的書，不像《道德經》那樣涉及統治者在治理過程所應該效法的存在世界的原理。《馬來君王儀禮》把「末羅游」解說成「柔弱虛己」的實際原因，可能是來自於居於下層（或弱勢）的臣民須要柔弱虛己地面對上層人物的現實和反映，而《道德經》則是一部以更高即存在原理的標準來評價現實統治者的治國狀況的著作，以為統治者應依「道」治國：

51.2　是以萬物莫不尊道而貴德。

11　馬來語的「duli」實際上不是指「腳下」，而是腳下的「塵埃」，背後實有其印度教神話與宇宙觀待釋說。但是如採取直譯，則勢必造成譯文繁冗難解，故一律簡化為「腳下」之名。

12　同注7，p.146。原文本指「『塵埃』實際上不是指君王的塵埃，而是指君王腳下的塵埃的臣僕我們自己」，因上一注所說之原因，故改譯如此。

按《道德經》看來，不管一個人地位有多高、權勢有多大，他始終不會高過、大過存在和存在原理的本身。基於統治者（及普羅大眾）也都是存在的一員，也逃離不了存在原理的束縛，以及君王有責任確保存在原理的被遵行，它由此自覺的把自己提煉成一部時時要求表現存在原理與精神的治國之典籍。也許這就是導致《馬來君王儀禮》和《道德經》二書在談論柔弱虛己之道上時的根本差異和主因。

四　總結：「末羅游」文明的道家性內涵仍待進一步析證

乍看起來，《馬來君王儀禮》一書把「末羅游」解說成「柔弱虛己」和《道德經》的「德」教人謙柔卑下、虛已無為的含意是相通的。然而，實況是兩者並不可相通，因為「末羅遊」的「柔弱虛己」並不像「德」那樣被看成是存在意義的「反者道之動」之原理反映。嚴格說來，《馬來君王儀禮》的「末羅遊」只是一個具有道家哲學「德」涵義的概念，還不是與「德」相當的一個哲學概念。

這麼一來，這是否表示「末羅遊」並不是從「反者道之動」的存在世界提煉出來的一個道家化哲學原理的概念？《馬來君王儀禮》一書打從開始就提醒我們，它在書中所提出的「末羅遊」解說：

（一）是古人世代口耳相傳下來的「末羅遊」意思。
（二）是我從廖內的阿都阿芷先生那兒聽來的「末羅遊」意思。

言下之意，《馬來君王儀禮》只是重複、重述一個世世代代口耳相傳的「末羅遊」解說，還不是這個概念的全部內容。[13] 所以，我們只能說是這本書的「末羅遊」與道家的「德」不具有相通性，而不是這個概念本身。換句話說，要真正把「末羅游」說成不是道家哲學意義的「德」概念，我們可能還需要更多來自與《馬來君王儀禮》一樣古老的馬來文獻的理解和證據，才能如此下論。

——2022年7月28日初稿、2023年7月24日修訂於竹溪行舍

---

[13] 鑒此，外審一提出《馬來君王儀禮》可能只是這個「末羅遊」傳統的後世響之一，至於對馬來民族性更為廣泛的影響，如馬哈迪在《馬來人的困境》一書所提，作者應可在此進一步追蹤以為補充闡發，本文誠願來日另文為之。

徵引文獻

Anthony Milner, *The Malays*, West Sussex: Wiley-Blackwell, 2008.

I-Tsing,*A Record of the BuddhistReligion as Practised in India and the MalayArchipelago (AD 671-695)*, translated by J. Takakusu, Delhi: Munshiram Manoharlal, 1966.

Panuti H. M. Sudjiman,*Adat Raja-Raja Melayu,*Jakarta: Penerbit Universitas Indonesia, 1996.

Perlembagaan Persekutuan (pindaan hingga Ogos 2021), Kuala Lumpur: Percetakan Nasional Malaysia Berhad, 2021.

Za'ba, *Bahasa Melayu: Kelebihan dan Kekurangannya*, Bangi: Klasika Media-Akademi Jawi Malaysia, 1954/2013.

從氣化宇宙論與三千大千世界的論述探論老莊思想與般若經典中語言工具的義理定位

陳德興

國立高雄大學通識教育中心教授

摘要

　　本文擬藉由道家氣化宇宙論的義理開展，與佛學中三千大千世界的敘述，探論其文字所勾勒的宇宙／世界圖景，並試從鄔昆如先生所提點的「符號之後」的思想進路，體現其語言工具的義理定位。

　　道家的語言所揭露的人間世，是一個充滿各種相對與執著，甚至是各種衝突與傷生害命的人間世；而語言背後所通往的真相，是一個淵深湛默、有無玄同、天道循環往復、萬物一體同質的宇宙，是一個離形去智之後精神得以逍遙自適的場域。佛家的語言文字所描繪的世界，是一個龐大複雜、鉅細靡遺、因緣果報重重無盡、成住壞空自性本無的「緣起性空」的世界；「文字」究其實來說也是一個「緣起有」，是一種「假名」，但它同時也是一種「般若」，能藉以引渡迷苦眾生通往有無雙遣、無苦寂滅道、無智亦無得的寂靜涅槃。

　　在本文所討論的道家與佛學的義理中，語言與文字是一種企圖解消語言文字名相符號等拘執，所設之「唯名論」式的方便法門；在此方便法門背後，超越語言文字名相符號所能形容的「逍遙」也好、「涅槃」也好，果且有異同乎哉？果且無異同乎哉？在言語道斷的真常奧域裡，其實容有相當大的思辯與意會的空間。

關鍵詞：老莊思想，氣化宇宙論，佛學，般若，世界，語言

An Exploration on the Logical Positioning of Linguistic Tools in Lao-Zhuang Thoughts and Prajna Classics from the Perspectives of Cosmology and Transformation of Qi and Trichiliocosm

Chen, De-Shing

Professor, Center for General Education, National University of Kaohsiung

Abstract

This article aims at exploring the image of Cosmos/World outlined by the Taoist narrative of Cosmology and Transformation of Qi and the narrative of the Buddhist Trichiliocosm, and tries to embody the logical positioning of the linguistic tools form Peter Kun-yu WOO's teaching on "Meta-phorica."

The *Renjianshi* revealed in Taoist language is a human environment filled with contrasts and persistence as well as conflicts and hurting. The reality beyond the languages is a Cosmos of profound silence, coexisting being and not being, ever cycling *Tien Tao*, and all things as one, as well as a field where the spirits can enjoy freedom after disposing forms and smartness. The *Trichiliocosm* described in Buddhist languages is a vast and complex, trmendously including world with endless cama, and with dependent origination and the emptines of nature. Such world goes through formation, existence, destruction, and emptiness with changless essense. *Words* after all are a kind of *pratītya-samutpāda being*, a kind of *pseudonym*, and a kind of *prajna*, through which the suffering mass can be edufoxed to *Nirvāṇa*, the sphere where there is no more burden of havings and having nots, no more sufferings and desires, and no more wisdom and gaining.

For the Taoist and Buddhist logics discussing in this paper, languages and words serve as a kind of nominalist Dharma gate with the purpose to eliminate the symbolicrigidity of languages and words. Beyond the Dharma gate, is there a difference between Carefreeness and

Nirvana or not? A huge space for deliberationa and sense exist in the secret sphere of the highest principle which cannot be explained in words.

Keywords: Lao-Zhuang Thought, Cosmology and Transformation of Qi, Prajna, Trichilicosm

一　緒論

　　本文要在延續吾人近期發表〈《易傳》與老莊思想的宇宙論述背後的語言定位〉一文的問題意識，探論該問題的佛學立場，特別是般若思想的語言觀的義理定位，及其與原始道家老莊思想的語言觀之異同。[1]

　　語言是思想的載體，是心智表現對外在事物的體察、及對內在思慮之呈顯的表達工具。語言形成的目的固在溝通，然而其發明的機制畢竟體現官能攝受之範圍與心智思慮觸角之所及，其語法的發展更受制於智性的規則。作為一種思想表達的工具，文字、符號、名相等廣義的「語言」在發明歷程本身即受制於主觀認識能力的限度，在表達上亦須順從智性理解的規則與囿限。從人與萬物的關係來說，主觀上是我們用語言體現了我們所認識的世界的內容，客觀上我們也被自己使用語言的方式決定了我們對天地萬物的認知。

　　「天地萬物」，中國哲學慣以「宇宙」一詞統稱之，釋義如「往古來今謂之宙，四方上下謂之宇」[2]，要指「空間」與「時間」兩個根本範疇，及此範疇所集合出人類的生存境域、萬有運化的舞台，及其運動變化之總歷程。基此語義與語用的理論興趣，吾人在日前發表的：〈《易傳》與老莊思想的宇宙論述背後的語言定位〉一文中嘗試探論了《易傳》與老莊思想的宇宙論述背後的語言定位問題。該文在文末假鄔昆如先生探討中國哲學形而上學所提出的觀點，簡要評析前揭經典論述其宇宙論所使用的「語言」，探論其義理定位。鄔昆如教授在探討中國形上學的三個向度中指出：

> 有別於西洋形上學「字義」，以及某種方面的「實質義」的「物理之後」（Meta-physica），中國形上學的內涵，可以說廣泛得多：除了「物理之後」之外，尚有「倫理之後」（Meta-ethica），以及「符號之後」（Meta-phorica）。
>
> 「物理之後」的形上學，其「超物理」仍然是以「符應」（Conformity）作為真理的標準；而「倫理之後」的「超倫理」，以及「符號之後」的「超符號」則是以「體驗」和「開悟」（Aletheia）為通往真理的道途。[3]

1　本文旨在延續吾人近期發表〈《易傳》與老莊思想的宇宙論述背後的語言定位〉一文的問題意識，故在本節相關問題意識的論述與鋪陳上，主要引用、改作日前揭論文的〈緒論〉與〈結論〉，特此敘明。〈《易傳》與老莊思想的宇宙論述背後的語言定位〉，《哲學與文化月刊》577（2022），頁135-151。

2　參見《文子·自然》、《淮南子·齊俗訓》。丁原植：《文子資料探索》（臺北：萬卷樓圖書，1998），頁281。劉文典：《淮南鴻烈集解》（合肥：安徽大學出版社、昆明：雲南大學出版社，聯合出版，1998），頁367。

3　鄔昆如：〈中國形上學的三個向度〉，收於《哲學與文化》345（2003），頁3。

所謂「物理之後」的思想進路，是透過感官對宇宙萬物的觀察，審視此世界背後的真相；這套借由文字、符號所組構的詮釋系統，尚須與其所觀察的客觀世界存在著「名實相符」的關係，以為其真理性的檢證標準。「符號之後」的思想進路，或許帶有些許的密契主義（mysticism）色彩，從符號的「不可道」處透過「體驗」和「開悟」等方式契入，以直面符號系統背後的真相。

從吾人近期發表〈《易傳》與老莊思想的宇宙論述背後的語言定位〉一文的論述中我們得出，此二者的宇宙都是「繼善成性，開物成務」[4]、「虛而不屈，動而愈出」[5]所大生、廣生的場域；誠如方東美先生所說，中國哲學的宇宙：「不止僅是機械物質活動的場所，而是普遍生命流行的境界」，甚至是一個「精神與物質浩然同流的境界。」[6]《易傳》的宇宙所賴以建構的語言一方面模擬萬物，「近取諸身，遠取諸物」，同時也足以彰顯宇宙萬物的實情，讓玩易者據以廟算福禍，趨吉避凶。而在老莊思想的義理中，語言與文字並非如《易傳》一般具「實有論」的性格，得以如實體現萬物運化之真相；而是一種企圖解消語言文字名相符號等拘執，通往一個離形去智之後精神得以逍遙自適的場域。

本文將延續前揭論文的問題意識，探論該問題的佛學立場，特別是般若思想的語言定位，及其與原始道家老莊思想的語言觀之異同。在論題的討論上，囿於學力與理論的興趣，本文在佛學部分將盡量不去涉及有宗與空宗等佛學派別思想的論爭，道家思想的部分也不期能周詳近人在老莊詮釋史的考察成果，[7]另在語言的探論上亦不重在經典文句中語法形式的分析；而試圖從鄔昆如先生所提點的「符號之後」的形上學進路，帶有密契主義色彩所透視的思想圖景，管窺其語言工具所體現的義理定位。

二 道家的氣化宇宙論[8]

道家談宇宙開顯的歷程，可推本於《老子‧四十二章》。[9]經云：

> 道生一，一生二，二生三，三生萬物。萬物負陰而抱陽，沖氣以為和。[10]

---

4 皆見《易傳‧繫辭上》。

5 《老子‧第五章》。明‧憨山大師：《老子道德經憨山解》（臺北：新文豐出版公司，1985），頁57。

6 方東美：《中國人生哲學概要》（臺北：先知出版社，1983），頁13。

7 楊儒賓：《儒門內的莊子》（臺北：聯經出版事業公司，2016），頁449-460。

8 本節所欲探討之論題，在吾人近期發表〈《易傳》與老莊思想的宇宙論述背後的語言定位〉拙文中已有充分論述，要可代表近期吾人對此論題之思考進程。茲微幅改作引用於本文。〈《易傳》與老莊思想的宇宙論述背後的語言定位〉，《哲學與文化月刊》577（2022），頁141-146。

9 本文《老子》與《莊子》部分引據，以憨山本為主，旁及郭慶藩：《莊子集釋》，出版項請詳參考書目。

10 《老子‧四十二章》。明‧憨山大師：《老子道德經憨山解》，頁103。

在此章中,《老子》以一連串的數理符號隱喻從「道」生「萬物」的開顯歷程。此中「道」是此三個系列符號的根源,是整個開顯歷程背後的實情;「先天地生」卻又無以名之,只能「字之」或「強為之名」。[11]其在開顯萬物的歷程中,雖是「惟恍惟惚」,卻又是真有所據。《老子》云:

> 視之不見名曰夷,聽之不聞名曰希,搏之不得名曰微,此三者不可致詰,故混而為一。其上不皦,其下不昧,繩繩不可名,復歸於無物,是謂無狀之狀,無物之象,是謂惚恍。[12]
>
> 道之為物,惟恍惟惚。惚兮恍兮,其中有象;恍兮惚兮,其中有物;窈兮冥兮,其中有精;其精甚真,其中有信。[13]

「恍惚」(或作「惚恍」)為「道」生「萬物」間開顯的中間環節,是「微」、「希」、「夷」「不可致詰」之三者所混同之「一」,既是「視之不見」、「聽之不聞」、「搏之不得」,又是「無狀之狀」、「無物之象」、有精、有信,真有所據。恍惚中「有」與「無」的交相辯證,[14]隱顯了其中之「象」、「物」、「精」、「信」等「混而為一」的終極內涵,此內涵係指「觀道者」透過「超越的觀的思路」所體證出來的「終極始源境界」,也即「觀道者」對「道自身」不可名狀的「神秘體證」。[15]

基此語境上的關聯,《老子》哲學中常以「一」代「道」,如〈第十章〉云:「載營魄抱一,能無離乎?」[16]此「一」或指道之本真;〈三十九章〉云:「昔之得一者,天得一以清,地得一以寧,神得一以靈,谷得一以盈……」,[17]此「一」或謂物從「道」所得之「德」,是物所以開顯的本質性要素。回應到前揭〈四十二章〉的義理中,此「一」指「道」生「萬物」間開顯之第一實現、宇宙發生之根源;或許也指此總歷程之「整體性」,隱喻著萬殊的變化內在通而為一的「同質性」。從「整體」來論萬物運化之「同質」,《莊子》的氣化思想給了最好的發展與詮釋。論云:

> 彼方且與造物者為人,而遊乎天地之一氣。彼以生者為附贅懸疣,以死為決疣潰癰,夫若然者,又惡知死生先後之所在![18]

這段話在〈知北游〉發展為:

---

11 《老子·二十五章》。明·憨山大師:《老子道德經憨山解》,頁81。
12 《老子·十四章》。明·憨山大師:《老子道德經憨山解》,頁66-67。
13 《老子·二十一章》。明·憨山大師:《老子道德經憨山解》,頁77。
14 參閱李震:《中外形上學比較研究·上冊》(臺北:中央文物供應社,1982),頁41。
15 參閱張家焌:〈老子道德經之超越觀〉,收入《哲學論集》15(1982),頁29-90。
16 明·憨山大師:《老子道德經憨山解》,頁61。
17 明·憨山大師:《老子道德經憨山解》,頁99。
18 明·憨山大師:《莊子內篇憨山註》,〈大宗師〉卷,頁47。

> 生也死之徒，死也生之始，孰知其紀！人之生，氣之聚也；聚則為生，散則為
> 死。若死生為徒，吾又何患！故萬物一也。是其所美者為神奇，其所惡者為臭
> 腐；臭腐復化為神奇，神奇復化為臭腐。故曰：「通天下一氣耳。」聖人故貴
> 一。[19]

人之生死交替輪轉，物之美醜交相幻變，究其實乃一氣之所化。「通天下一氣耳」道盡
了萬殊之不均皆此一氣之所化，既指無形之道生發有形萬物之總歷程，同時也隱喻著萬
物內在通而為一的同質性。

《莊子》所云之「化」，是由一而多，由多而一，由一氣而萬物，由萬物復歸於一
氣之中間環節。是書屢言：「人之生，氣之聚也」，「聚則為生，散則為死」，「陰陽相照
相蓋相治，四時相代相生相殺……聚散以成。」[20]於此氣論的思維中，「化」的具體內
容就是「一氣之聚散」；而「聚散」的具體形式就是「陰陽」。論云：

> 陰陽者，氣之大者也。道者為之公。[21]
>
> 至陰肅肅，至陽赫赫，肅肅出乎天，赫赫發乎地；兩者交通成和而物生焉。[22]

衡諸《老子・四十二章》所云的開顯歷程中，「萬物負陰而抱陽，沖氣以為和」一句，
「二」應即指此「陰」、「陽」二者，即天地間未有形質前的「氣」，兩氣交感和合而後
生成萬物。去古未遠的《淮南子》嘗直譯本章謂：「道始於一，一而不生，故分而為
陰陽，陰陽合和而萬物生，故曰：一生二，二生三，三生萬物。」[23]並在同一篇鋪陳其
說云：

> 天地未形，馮馮翼翼，洞洞灟灟，故曰太始。道始於虛霩，虛霩生宇宙，宇宙生
> 氣。氣有涯垠，清陽者薄靡而為天，重濁者凝滯而為地。清妙之合專易，重濁之
> 凝竭難，故天先成而地後定。天地之襲精為陰陽，陰陽之專精為四時，四時之散
> 精為萬物。[24]

「太始」者，標示著天地尚未形成之前，一片寂默蕭條之情狀，此是「道」之本始狀
態。從渾沌寂寞之情狀逐漸空闊開朗，謂之「虛霩」；而後逐漸嶄露出天地萬物運化之
舞台，此也即「宇宙」。「氣」因時空範疇的限定而具現，「清陽者薄靡而為天，重濁者

---

19 清・郭慶藩：《莊子集釋》，頁733。

20 《莊子・則陽》。清・郭慶藩：《莊子集釋》，頁914。

21 《莊子・則陽》。清・郭慶藩：《莊子集釋》，頁913。

22 《莊子・田子方》。清・郭慶藩：《莊子集釋》，頁712。

23 《淮南子・天文訓》。劉文典：《淮南鴻烈集解》（合肥：安徽大學出版社、昆明：雲南大學出版社，
   聯合出版，1998），頁109。

24 同上注，頁78-79。

凝滯而為地」，而後運化四時寒暑，遂生日月星辰水潦塵埃之萬物。此說可資一參。

　　儘管藉由前人的努力與經典的梳理，我們簡要勾勒出老莊思想在宇宙論上的見解，此氣化的論點甚至成為日後中國哲學宇宙論思想的主流；然而，透過語言文字描繪詳實的時空內蘊，其實自始並非老莊原始道家所關切的義理主軸。歸根究柢，在於老莊思想一開始對語言文字的有限性的定調。《老子‧第一章》：「道可道，非常道。名可名，非常名。」開宗明義就阻斷了世人欲以語言文字通往真理的可能性。「有物混成，先天地生」[25]一章清楚的表示，「道」就是一個「字之曰道」的「假名」，用以指謂那個無有形象、寂寥溟漠、先於一切形物的恍恍惚惚的對象。基此理解，《老子‧四十二章》以「一」、「二」、「三」隱喻「道」生「萬物」的開顯歷程，究其義來說是否僅僅是在暗示「道」只是一系列假名所指之根源？

　　同樣以近乎符號邏輯式的，對萬物生發之歷程來推本溯源，在《莊子》也展現了相當膾炙人口的論述：

> 有始也者，有未始有始也者，有未始有夫未始有始也者。有有也者，有無也者，有未始有無也者，有未始有夫未始有無也者。俄而有無矣，而未知有無之果孰有孰無也。今我則已有謂矣，而未知吾所謂之其果有謂乎，其果無謂乎？[26]

「有」、「始」、「無」等語，蓋在回應《老子‧第一章》「無名天地之始，有名萬物之母」的指謂。「有始也者」一段，講事物發生的時間序列；「有有也者」一段，講「存在」在邏輯上的有無辯證，逆推其無限後退之可能性。末了以「俄而有無矣，而未知有無之果孰有孰無也？」之問句結尾，透露出一種「存有論」語境的「有無玄同」，「知識論」範疇裡的離無絕有、物論自泯之意向。[27]《莊子》在文本中接下來一段，更是直從「一」、「二」、「三」的語言學式辯證，回應《老子》的宇宙發生論述：

> 天下莫大於秋豪之末，而泰山為小；莫壽乎殤子，而彭祖為夭。天地與我並生，而萬物與我為一。既已為一矣，且得有言乎？既已謂之一矣，且得無言乎？一與言為二，二與一為三。自此以往，巧歷不能得，而況其凡乎！故自無適有以至於三，而況自有適有乎！無適焉，因是已。[28]

秋毫與泰山之對比，意在顛覆空間上、體積上的大小；殤子與彭祖的參照，則在消弭時間上相對之短長。又誠如「自其異者視之，肝膽楚越也。自其同者視之，萬物皆一

25　《老子‧二十五章》。明‧憨山大師：《老子道德經憨山解》，頁81。

26　明‧憨山大師：《莊子內篇憨山註》，〈齊物論〉卷，頁51-53。

27　參閱拙著：〈《淮南子》道論試析——以「存有論」和「宇宙論」的理域契入〉，《哲學與文化月刊》437（2010），頁60。

28　明‧憨山大師：《莊子內篇憨山註》，〈齊物論〉卷，頁54-56。

也。」[29]所揭示，既然「天地與我並生，而萬物與我為一」，那麼秋毫與泰山、殤子與彭祖，也就是通天下一氣之聚散耳，又有何可議論分別之處？然而，既然說它通而為「一」了，於是就有了「一」這個「語言」，此「語言」與未名之前的「意」就形成了「二」，要說明此二者異同時於是又形成了「三」；一旦命名與言說開始，釋義的鎖鏈彷彿就注定無有終期之延展。而要把從無到有講清楚，都已然如此複雜，更何況要把存有彼此之間的關係講清楚呢？文本主張，還是不要試著去說清楚了吧！因為在通而為一處本身即是，原無分別。

在「天地與我並生，而萬物與我為一」的高度下，萬有本身就是沒有疆界、沒有是非，不適合有所言說議論的，這應該也是《莊子》其書選擇多用寓言的方式來鋪陳其說的原因。之所以有「物論之不均」，就是因為「咸其自取」之「有畛」。〈齊物論〉云：「夫道未始有封，言未始有常，為是而有畛也。」[30]指出大道原無封界，萬物在此中依其性分而生而成，其生成化滅之本質原是一體，恆無分別；而「言」卻是發乎於人的有限視界，因是因非，隨生隨滅。〈齊物論〉云：

> 彼出於是，是亦因彼。彼是方生之說也。雖然，方生方死，方死方生；方可方不可，方不可方可；因是因非，因非因是。是以聖人不由，而照之於天，亦因是也。是亦彼也，彼亦是也。彼亦一是非，此亦一是非。果且有彼是乎哉？果且無彼是乎哉？彼是莫得其偶，謂之道樞。樞始得其環中，以應無窮。是亦一無窮，非亦一無窮也。故曰「莫若以明」。[31]

聖人不由，不落於彼是方生之說，不流於無窮無盡的對偶論辯，而選擇「照之于天」。「照之于天」也就是掌握了「道樞」，也即文中所云之「莫若以明」。「明」者，即《老子·十六章》：「歸根曰靜，是謂復命。復命曰常，知常曰明。」[32]的「明」，指的是「觀道者」透過「超越的觀的思路」所體證出來的「終極始源境界」；在此境界中，萬物復歸道之本根，一體無別，此也即「觀道者」對「道自身」不可名狀的「神秘體證」。[33]一如《莊子·大宗師》：「離形去知，同於大通」所云之「坐忘」，也如《莊子·人間世》「虛而待物」之「心齋」。〈人間世〉云：

> 若一志。無聽之以耳而聽之以心，無聽之以心而聽之以氣！聽止於耳，心止於符。氣也者，虛而待物者也。唯道集虛。虛者，心齋也。[34]

---

29 明·憨山大師：《莊子內篇憨山註》，〈德充符〉卷，頁3。
30 明·憨山大師：《莊子內篇憨山註》，〈齊物論〉卷，頁56-57。
31 明·憨山大師：《莊子內篇憨山註》，〈齊物論〉卷，頁30-34。
32 明·憨山大師：《老子道德經憨山解》，頁69-70。
33 同上注15。
34 明·憨山大師：《莊子內篇憨山註》：〈人間世〉卷，頁15。

感官與心知在人間世之符應皆是具形質之「有」，有形有象，因而也有其限度；《莊子》特此提點「虛而待物」之「氣」，以其不具形物之質性，「雜乎芒芴之間」[35]，而為一切形質之所出。以此無形無象之「氣」來類比於心靈、意識的狀態，則是無欲無念、無有成心、超乎感官心知之圍限，使得認知主體在與萬物相遇的過程中得以「虛」字所寓之清淨澄明的認知狀態朗現萬物的本然情狀。

　　老莊哲學中，「致虛極，守靜篤」、「心齋」、「坐忘」等語皆在提點認知主體解消自我的拘執，把「自我」消融入道的境遇中，而讓道單獨運作。自我得從有限之現象，一步步退回符號的世界觀，再隱退入符號之後，「獨與天地精神往來」[36]。「氣」在宇宙論的範疇中，道家固然用其來解釋萬物開顯的歷程，亦藉以提點人們從形物的世界中超昇，解消感官心知與文字符號所設之拘執，以回歸大道之默契進路。

三　從般若義理看佛教經典中「三千大千世界」的論述

　　中國哲學的「宇宙」，與佛經中慣稱的「世界」（梵語：lokadhātu）或「世間」，意義上頗有異曲同工之妙。「世」（梵語：loka）有遷流、隔別之義，要以「現在的一剎那」為基點，向前的「過去世」、當下的「現在世」與向後的「未來世」，以此「三世」所遷流、展延出佛經敘事的「時間」向度。[37]「界」（梵語：dhātu），原意為「種族」或「界限」，是古印度哲學依功能差別、原因、體性等不能混淆相雜之義，用來對各種存在或現象進行分類與歸納的術語。[38]「世」與「界」在佛經中都有不少義理的引申或發揮，二字連用要指構成「三千大千世界」的一個小「世界」單位，進而演示此世界「成、住、壞、空」的運化週期，展延出「緣起性空」的佛家義理。

　　關於此世界的構造，據《世記經》[39]中的描述，世界以須彌山為中心，拔地而起八萬四千「由旬」[40]，外有四大洲及九山八海交相圍繞，三界三十八種眾生大抵依「欲

---

35 《莊子・至樂》。清・郭慶藩：《莊子集釋》，頁615。

36 《莊子・天下》。清・郭慶藩：《莊子集釋》，頁1098。

37 《哲學大辭書》第1冊（新北：輔仁大學出版社，1993），頁234，「三世」條。

38 《漢語大字典》（臺北：建宏出版社，1998），頁1059，「界」條。

39 本文佛教經論部分引據，以《佛教大藏經》（臺北：佛教出版社，1978）為主。

40 「由旬」，長度度量單位。佛經中的長度單位常用「極微」及「踰繕那」（「由旬」）來表達。《俱舍論》卷十二的頌文說：「極微微金水兔羊牛隙塵，蟣蝨麥指節，後後增七倍，二十四指肘，四肘為弓量，五百俱盧舍，此八踰繕那。」意即由「極微」開始，依次以七倍來增加，依次為「微」、「金塵」、「水塵」、「兔毛塵」、「羊毛塵」、「牛毛塵」、「隙塵」、「蟣」、「蝨」、「麵麥」、「指節」等長度量詞；接下來三個指節合成一「指」，二十四指橫排即合成一「肘」的長度，四肘成為一「弓」，五百弓成為一「俱盧舍」，八俱盧舍為一「踰繕那」（由旬）。此中「指節」及「指」的長度較為習知。今設一指節的長度為2.5公分，如此可估計出一俱盧舍約為800公尺，一踰繕那約為6.4公里，一千踰繕那則約為一地球半徑。參見林崇安：〈從科學的角度來看三界〉，收於《內觀雜誌》71（2010），頁7。

界」、「色界」、「無色界」之序由下而上緣生。須彌山根連大地，深十六萬八千由旬；大地下方是水，深三千三十由旬；再下就是風，深六千四十由旬。經中對此世界環境之描述、眾生之屬性、不同層天的眾生迥異的存在狀態、壽命短長與相應的時空比例等的敘述，可謂鉅細靡遺。若再把宇宙的範圍由此世界往外看，依《世記經》的記載：

> 如一日月周行四天下，光明所照。如是千世界，千世界中有千日月、千須彌山王、四千天下、四千大天下、四千海水、四千大海、四千龍、四千大龍、四千金翅鳥、四千大金翅鳥、四千惡道、四千大惡道、四千王、四千大王、七千大樹、八千大泥犁、十千大山、千閻羅王、千四天王、千忉利天、千焰摩天、千兜率天、千化自在天、千他化自在天、千梵天，是為小千世界。如一小千世界，爾所小千千世界，是為中千世界。如一中千世界，爾所中千千世界，是為三千大千世界。如是世界周匝成敗，眾生所居，名一佛剎。[41]

此處指出，每一世界具足諸眾生、諸國土、諸天諸天王等；在宇宙的世界圖式中，一千個世界集成一個「小千世界」，一千個小千世界集成一個「中千世界」，一千個中千世界集成一個「大千世界」；由於大千世界係由小、中、大三種千世界所集成，故稱「三千大千世界」。如此廣袤的世界名為「一佛剎」，為一佛所教化的範域。宇宙中有無數個三千大千世界，便有無數個佛剎。

三千大千世界並非永恆存在的，而是在時間的遷流中循「成、住、壞、空」的週期不斷變化。這一整個週期，佛經稱為一「大劫」。「大劫」由「成劫」、「住劫」、「壞劫」及「空劫」等四個「中劫」所合成，「中劫」又由若干意義數量不等之「小劫」所合成。[42]其中「成劫」指山河、大地、草木的器世間，以及一切有情眾生的眾生世間成立時期；「住劫」指器世間和眾生世間安穩存住的時期；「壞劫」是水、火、風三災毀壞世界的時期；「空劫」為此世間之空漠期，一切都破壞淨盡，變成虛空狀態。[43]「空劫」之後，虛空之中又開始另一個週期的成、住、壞、空，也就是另一個世界又開始成立、持續、破壞，復歸於虛空。

大千世界中各個世界的樣貌各自不同，經論中對其成壞週期的描寫亦頗多異數；緣生於不同國土、不同層天際的三十八種眾生又有其各自不同的存在狀態與壽命短長。從

---

41 《佛說長阿含經》卷18，《佛教大藏經》冊24，頁564-565。

42 「小劫」之數，依《阿毘達磨大毘婆沙論》的紀載，以人壽由最初的八萬四千歲算起，每過一百年減一歲，減至十歲止，稱為一「減劫」；再由十歲起每過一百年增一歲，增至原來的八萬四千歲止，稱為一「增劫」。如此一減一增，名為「一小劫」，又名「增減劫」。以數學方式來計算，一小劫等於：（84,000－10）×100×2＝16,798,000，故「一中劫」為335,960,000年，「一大劫」有80「小劫」故為1,343,840,000年。按諸經論對世界的變化週期頗多異說，對大中小劫之計數亦多異解，要皆指其成壞循環、時量悠久無限之義。《阿毘達磨大毘婆沙論》卷135，《佛教大藏經》冊44，頁71。

43 參閱吳汝鈞：《佛教大辭典》，頁168，「四劫」條。

佛學的觀點來說，此間的變異與差別，皆來自於眾生的業力。《大方廣佛華嚴經》云：

> 諸國土海種種別，種種莊嚴種種住，殊形共美遍十方，汝等咸應共觀察；其狀或圓或有方，或復三維及八隅，摩尼輪狀蓮華等，一切皆由業令異……眾生業海廣無量，隨其感報各不同。[44]

「業」（梵語：karman）音譯作「羯磨」，「造作」之意，泛指眾生有意識的身心活動，也指有情眾生流轉生死的潛在動力。[45]《大方廣佛華嚴經》謂世界的變化不同，皆來自眾生業感所生。進一步析論，《阿毘達磨俱舍論》云：

> 世別由業生，思及思所作；思即是意業，所作謂身語。

釋曰：

> 有二種業。一者思業。二思已業。思已業者謂思所作。如是二業分別為三。謂即有情身語意業。……毘婆沙師說。立三業如其次第由上三因。然心所思即是意業。思所作業分為身語二業。是思所等起故。[46]

此處指出「業」有二種，一是「思業」，一是「思已業」。「思業」為「心所思」的一種力量，屬精神造作力。「思已業」為「思所作的業」，又分成「身業」與「語業」二種。廣義來說，「語業」可理解為心思透過語言文字的表達，「身業」可理解為起心動念後在世界所表現出來的行為；究其根源來說，兩者皆由「心所思」所引動與派生。佛家素有「三界唯心，萬法為識」之說，謂三界一切有情眾生、三千大千世界中萬法的成壞，皆如《大方廣佛華嚴經》所說：「若人欲了知，三世一切佛，應觀法界性，一切唯心造。」[47]「造」即「造作」，也即「業」的本義；「一切唯心造」即一切皆由「心」的「思業」所引動，故云「是思所等起故」。

在業力的作用下，「業」是萬法發生的「因」，「萬法」是業力引動的「果」，物質義的器世間與眾生的有情世間都在業力引動的因果鍊結中不斷變化，重重無盡；在不同的因素與條件下，呈現不同的精神與物質現象，此便是「緣起」。「緣起」之義，要如《中阿含經》云：「因此有彼，無此無彼，此生彼生，此滅彼滅。」[48]此思想幾乎是佛學的根本義理，舉凡《俱舍論》講的「業感緣起」、《解深密經》與《瑜伽師地論》等所說「賴耶緣起」、《大方廣佛華嚴經》的「法界緣起」、《大乘起信論》講的「真如緣起」與

---

44 《大方廣佛華嚴經》卷7，《佛教大藏經》冊1，頁64-65。

45 《哲學大辭書》第七冊（新北：哲學與文化月刊雜誌社，2020），頁3706，「業感緣起」條。

46 《阿毘達磨俱舍論》卷13，《佛教大藏經》冊44，頁858。

47 《大方廣佛華嚴經》卷19，《佛教大藏經》冊1，頁171。

48 《中阿含經》卷47，《佛教大藏經》冊27，頁63。

密教教義的「六大緣起」等，皆可謂此根本義之發明。

然而，諸法的成壞、事物的運動變化，既然皆緣因果法則而隨業生滅，究竟來說，便無所謂獨立自有、恆常不變之實體或本質，也即所謂的「性空」。此「性空」並非什麼都沒有、完全都不存在、不曾存在之「虛無」（nonbeing），而是在闡明「緣起法」的「空性」。前述「思業」是精神造作力，「身業」是起心動念後物質世界所表現出來的行為，夾在此精神與物質之間，便是「語業」。經論中多次警示四種語業，即「口業四種，所謂妄語、兩舌、惡口、綺語。」[49]然而廣義的「語業」應不限於負面意義的「口業」，蓋口能說事裡，也能吐正道、說善言，此佛學中「八正道」的「正語」、「諦語」之謂。中立義的「語業」應涵蓋各種言詮與名相，是「心」與「思」的表達工具，其能將心與思的內涵條理陳述，而為「身業」之先遣，儼然為「思業」與「身業」之中介。在文明發展的歷程中，語言文字的發展旨在符應客觀世界的真相與表達主觀情志之所思；今欲以名相來表達「緣起有」之「自性空」，又不使落入「實有」或「斷滅」義，這其實有一定的語言學上的難度。經論中常見「不可說！不可說！」之語，然而「說『不可說』」時其實已經在「說」，此「不可說之說」又所謂何指？然而欲接引眾生悟入此不可說之「空義」，語言名相的使用又是不得不然的「必要之惡」。故諸佛及聖者，唯有勉而為之，試著說此不可說之法。

為了說此不可說之法，各經論也發展了相當多的語法策略，如《金剛般若波羅蜜經》云：

> 須菩提，若善男子、善女人，以三千大千世界碎為微塵，於意云何，若是微塵眾寧為多不？甚多！世尊。何以故？若是微塵眾實有者，佛則不說是微塵眾。所以者何？佛說微塵眾，則非微塵眾，是名微塵眾。世尊！如來所說三千大千世界，則非世界，是名世界。[50]

從物質世界的宇觀來說，三千大千世界因緣起合成，亦因緣滅故碎為微塵，不復有世界存在，故云「說三千大千世界，則非世界」。又從物質世界的微觀來說，微塵亦是隨緣起滅，終歸虛空，故云「說微塵眾，則非微塵眾」。質其實來說，「世界」與「微塵」等，皆是「假名」。[51]非但物質世界一切存在悉以假名觀之，因緣於色法而造作的一切有情諸行亦業緣所生，而非實有。故《般若波羅蜜多心經》云：

> 色不異空，空不異色。色即是空，空即是色。受、想、行、識亦復如是。[52]

---

49 《正法念處經》卷1，《佛教大藏經》冊27，頁4。

50 《金剛般若波羅蜜經》，《佛教大藏經》冊20，頁548。

51 《中論》云：「眾因緣生法，我說即是無，亦為是假名，亦是中道義」。《佛教大藏經》冊37，頁103。

52 《般若波羅蜜多心經》，《佛教大藏經》冊20，頁616。

「色」是色身，是地、水、火、風四大緣起的身體；「受」是眼耳鼻舌身「五根」與色聲香味觸「五塵」的交感；「想」是前述的交感後有所感而發；「行」是前述的有感而發，反應為各種情緒與執著；「識」則依前述觀感與好惡建構了主體所認知的世界。究其實來說，色、受、想、行、識等「五蘊」演示了「思業」、「語業」到「身業」的歷程，所有造作皆業緣所生，自性本空。是故《金剛般若波羅蜜經》云：「如來說諸心皆為非心，是名為心。」[53]因為「心」是因緣聚合，無有「自性」，故說「心為非心」；然而在俗諦上，由因緣聚合而有「心」的存在，所以說「是名為心」。

綜上所述，大乘佛學的般若義理除了認為客觀的、物理的「微塵」、「世界」不實在，主觀的、精神的「心」同樣也不實在；不實在，故是「空」。另一方面，雖然是「空」，但並不妨礙「微塵」、「世界」、「心」之隨緣成壞的「緣起有」這一面。故「空」非「頑空」、「斷滅空」，而是「真空」；「緣起有」雖無自性、不實在，卻是「空」中業感緣起的「妙有」。《中論》云：「以有空義故，一切法得成；若無空義者，一切則不成。」[54]一語道盡佛學中「緣起性空」、「真空妙有」的宇宙觀。

四 符號之後──宇宙與世界論述背後的「語言」定位

鄔昆如教授在探討中國形上學的三個向度中指出，「符號之後」的思想進路，乃從符號的「不可道」處契入，設法透過「體驗」和「開悟」，以直面符號系統背後的真相。[55]本文所涉，《老子》開宗明義云：「道可道，非常道。名可名，非常名。」[56]自始就阻斷了世人欲以語言文字通往真理的可能性。「有物混成，先天地生」[57]一章清楚的表示「道」就是一個「字之曰道」的「假名」，用以指謂那個無有形象、寂寥溟漠、先於一切形物的恍恍惚惚的對象。基此理解，《老子‧四十二章》以「一」、「二」、「三」隱喻萬物的開顯歷程，似乎也只在暗示「道」只是一系列假名所指之根源。《莊子》在「天地與我並生，而萬物與我為一」[58]的高度下，啟示萬有本身就是沒有疆界、沒有是非，不適合有所言說議論的渾然一體；之所以有「物論」之異說，正如〈齊物論〉云：「夫道未始有封，言未始有常，為是而有畛也。」[59]指出「語言」之所以然，乃是發乎於認知者的有限視界，因是因非，隨生隨滅。夫若然者，今欲超越無常的、現象的桎梏，洞見大道的實情，也唯有從人類認知與詮表行為所深倚的「身體形構」來解消桎

---

53 《金剛般若波羅蜜經》，《佛教大藏經》冊20，頁547。

54 《中論》，《佛教大藏經》冊37，頁102。

55 參閱同注3。

56 《老子‧第一章》。明‧憨山大師：《老子道德經憨山解》，頁51。

57 《老子‧二十五章》。明‧憨山大師：《老子道德經憨山解》，頁81。

58 明‧憨山大師：《莊子內篇憨山註》，〈齊物論〉卷，頁54-56。

59 明‧憨山大師：《莊子內篇憨山註》，〈齊物論〉卷，頁56-57。

梏。在此哲學中,「致虛極,守靜篤」[60]、「心齋」[61]、「坐忘」[62]等語皆在提點認知主體解消自我的拘執,把「自我」消融入道的境遇中,讓道單獨運作;自我得從有限之現象,一步步退回符號的世界觀,再隱退入符號之後,「獨與天地精神往來」。[63]

大乘佛學的基本義理是「緣起性空」、「一切唯心造」。儘管如《世記經》等對世界的結構、組成、分布、大小、型態、存在的久暫,對三界三十八種眾生的屬性、壽命、體積與相應的時空比例等敘述,復往外擴及中千世界、大千世界、無量恆河沙數等佛剎,經億萬年不斷成住壞空循環往復……等;無論如何鉅細靡遺,皆可在大乘佛學的義理中目為因緣所生之萬法。因緣所生,故無自性,無自性故「空」。《般若波羅蜜多心經》云:「是故空中無色,無受想行識,無眼耳鼻舌身意,無色聲香味觸法……無苦集滅道,無智亦無得,以無所得故。」[64]數言「空」中無有一物,無有所得,故是「真空」;然而在此「空」中,緣起緣滅,萬法隨緣成壞,雖無自性,卻是「妙有」。「真空」不礙「妙有」,不一不異、無礙無別;然而在中道「第一義諦」之前,都只是「假名」。[65]經論透過文字為眾生說法,闡釋「俗諦」的目的,只在為其引渡到中道「第一義諦」的究竟實相中。

在道家與佛學的義理中,語言與文字並非如《易傳》一般具「實有論」的性格,得以如實體現萬物運化之真相,而是一種企圖解消語言文字名相符號等拘執,所設之「唯名論」式的方便法門。道家的語言所揭露的人間世,是一個「有無相生,難易相成,長短相形,高下相傾,音聲相和,前後相隨……」[66],充滿各種相對與執著,甚至是各種衝突與傷生害命的人間世;而語言背後所通往的真相,是一個淵深湛默、有無玄同、天道循環往復、萬物一體同質的宇宙,是一個離形去智之後精神得以逍遙自適的場域。[67]佛家的語言文字所描繪的世界,是一個龐大複雜、鉅細靡遺、因緣果報重重無盡、成住壞空自性本無的「緣起性空」的世界;「文字」究其實來說也是一個「緣起有」,是一種「假名」,但它同時也是一種「般若」,能藉以引渡迷苦眾生通往有無雙遣、無苦寂滅道、無智亦無得的寂靜涅槃。

道家以真人之姿姑妄說之,釋家則以覺者之相慈悲說法,在其開釋的唯名論式的方

---

60 明・憨山大師:《老子道德經憨山解》,頁69-70。

61 明・憨山大師:《莊子內篇憨山註》,〈人間世〉卷,頁15。

62 明・憨山大師:《莊子內篇憨山註》,〈大宗師〉卷,頁60。

63 本段老莊思想綜述,引自拙著:〈《易傳》與老莊思想的宇宙論述背後的語言定位〉,《哲學與文化月刊》577(2022),頁147-148。

64 《般若波羅蜜多心經》,《佛教大藏經》冊20,頁616。

65 同注51。

66 《老子・第二章》。明・憨山大師:《老子道德經憨山解》,頁53。

67 本段老莊思想部分,引自拙著:〈《易傳》與老莊思想的宇宙論述背後的語言定位〉,《哲學與文化月刊》577(2022),頁148。

便法門之前，面對此門後超越語言文字符號名相所能形容的「逍遙」也好、「涅槃」也好，果且有異同乎哉？果且無異同乎哉？蓋「六合之外，聖人存而不論」。在議論「地籟」的「眾竅怒號」之後，仁者且「懷之」以待「旦暮遇之」[68]，可能是面對「語言之後」等待我們「體驗」和「開悟」的對象比較適當的態度。

---

68 皆見《莊子・齊物論》。

徵引文獻

一 原典文獻

《佛教大藏經》，臺北：佛教出版社，1978年。

明・憨山大師：《老子道德經憨山解》、《莊子內篇憨山註》合訂本，臺北：新文豐出版
　　　　公司，1985年。

清・郭慶藩：《莊子集釋》，臺北：華正書局，1997年。

劉文典：《淮南鴻烈集解》，合肥：安徽大學出版社、昆明：雲南大學出版社，聯合出
　　　　版，1998年。

黃忠天：《周易程傳評述》，高雄：麗文出版社，2006年。

二 近人論著

方東美：《中國人生哲學概要》，臺北：先知出版社，1976年。

李　震：《中外形上學比較研究・上冊》，臺北：中央文物供應社，1982年。

楊儒賓：《儒門內的莊子》，臺北：聯經出版社，2016年。

鄔昆如：〈中國形上學的三個向度〉，《哲學與文化》第30卷第2期（總第345期），臺北：
　　　　哲學與文化月刊雜誌社，2003年。

林崇安：〈從科學的角度來看三界〉，《內觀雜誌》第71期，中壢：內觀雜誌社，2010
　　　　年。

陳德興：〈《淮南子》道論試析——以「存有論」和「宇宙論」的理域契入〉，《哲學與文
　　　　化月刊》第37卷第10期（總第437期），臺北：哲學與文化月刊雜誌社，2010
　　　　年。

陳德興：〈《易傳》與老莊思想的宇宙論述背後的語言定位〉，《哲學與文化月刊》第49卷
　　　　第6期（總第577期），臺北：哲學與文化月刊雜誌社，2022年。

三 工具書

吳汝鈞：《佛教大辭典》，北京：商務印書館，1995年。

《漢語大字典》，臺北：建宏出版社，1998年。

《哲學大辭書》第一冊，新北：輔仁大學出版社，1993年。

《哲學大辭書》第七冊，新北：哲學與文化月刊雜誌社，2020年。

學術論文集叢書 1500037

第四屆《群書治要》國際學術研討會論文集
——《群書治要》與老莊思想

主　　編　廖育正、陳康寧
責任編輯　林以邠
主辦單位　國立成功大學中國文學系
合辦單位　香港中文大學中國語言及文學系、
　　　　　財團法人臺南市至善教育基金會

發 行 人　林慶彰
總 經 理　梁錦興
總 編 輯　張晏瑞
編 輯 所　萬卷樓圖書股份有限公司
　　地址　臺北市羅斯福路二段 41 號 6 樓之 3
　　電話　(02)23216565
　　傳真　(02)23218698

發　　行　萬卷樓圖書股份有限公司
　　地址　臺北市羅斯福路二段 41 號 6 樓之 3
　　電話　(02)23216565
　　傳真　(02)23218698
　　電郵　SERVICE@WANJUAN.COM.TW
香港經銷　香港聯合書刊物流有限公司
　　電話　(852)21502100
　　傳真　(852)23560735

ISBN 978-626-386-049-0
2024 年 3 月初版一刷
定價：新臺幣 360 元

如何購買本書：

1. 轉帳購書，請透過以下帳戶
　　合作金庫銀行　古亭分行
　　戶名：萬卷樓圖書股份有限公司
　　帳號：0877717092596
2. 網路購書，請透過萬卷樓網站
　　網址 WWW.WANJUAN.COM.TW

大量購書，請直接聯繫我們，將有專人為您服務。客服：(02)23216565 分機 610

如有缺頁、破損或裝訂錯誤，請寄回更換

國家圖書館出版品預行編目資料

《群書治要》國際學術研討會論文集. 第四屆：《群書治要》與老莊思想/廖育正, 陳康寧主編. -- 初版. -- 臺北市 ： 萬卷樓圖書股份有限公司, 2024.03
　　面；　公分. -- (學術論文集叢書 ; 1500037)
ISBN 978-626-386-049-0(平裝)
1.CST: 經書　2.CST: 老莊哲學　3.CST: 研究考訂　4.CST: 文集

075.407　　　　　　　　　　　113003267